1 000 AFFIRMATIONS
POUR BOOSTER
VOTRE MORAL

Collection sous la direction de Richard Carlson,
auteur du best-seller international
Ne vous noyez pas dans un verre d'eau

1 000 AFFIRMATIONS
POUR BOOSTER
VOTRE MORAL

Traduit de l'anglais (États-Unis)
par Emmanuelle Farhi

DANS LA MÊME COLLECTION

Ne vous noyez pas dans un verre d'eau

Ne vous noyez pas dans un verre d'eau en famille

Ne vous noyez pas dans un verre d'eau en amour

Ne vous noyez pas dans un verre d'eau au travail

Ne vous noyez pas dans un verre d'eau à l'usage des femmes

Ne vous noyez pas dans un verre d'eau à l'usage des hommes

Ne vous noyez pas dans un verre d'eau à l'usage des couples

Titre original
Don't Sweat the Small Stuff, Affirmations

© Richard Carlson 2003

© Éditions Michel Lafon pour la traduction française, 2004

7-13, boulevard Paul-Émile-Victor – Île de la Jatte
92521 – Neuilly-sur-Seine

AVANT-PROPOS

Bien souvent, la différence entre une bonne et une mauvaise journée dépend du type de pensées qui emplissent et dominent notre esprit. En effet, lorsque nos pensées sont positives, vivifiantes et enthousiastes, nous nous sentons heureux, sereins et optimistes. En revanche, les idées négatives, dépréciatrices, anxieuses et amères nous donnent l'impression d'être victimes, surchargés et insatisfaits.

Les éditeurs de la collection *Ne vous noyez pas dans un verre d'eau* ont décidé d'élaborer un recueil d'inspirations. Il s'agit de phrases simples, mais fortes, qui soulignent notre aptitude à mener une existence extraordinaire. Leur lecture nous incite à nous montrer dynamiques et reconnaissants.

De telles affirmations nous rappellent l'aptitude de nos propres pensées à façonner la réalité et la qualité de notre vie. Quand nous comprenons ce mécanisme, nous prenons davantage conscience des pensées auxquelles nous accordons de l'importance. Nous distinguons mieux celles que nous choisirons de chasser ou d'ignorer.

Il va sans dire que l'existence n'est pas toujours une partie de plaisir. Cependant, quand nous prenons le temps de nourrir des pensées positives et de nous souvenir que nous en sommes nous-mêmes les artisans, nous nous dotons des moyens nécessaires pour rester optimistes et conserver notre vitalité. Ce petit supplément de sagesse nous évoque ce qui compte vraiment et nous évite de nous noyer dans un verre d'eau.

Les phrases figurant dans ce recueil peuvent constituer une merveilleuse façon de commencer la journée ou de nous accorder une pause. Quel que soit l'usage que vous en ferez, ces affirmations allégeront rapidement et efficacement vos tensions.

J'espère que vous apprécierez ce livre autant que moi, et que vous vous y référerez souvent.

Chérissez ce cadeau qu'est la vie.

Richard CARLSON
Pleasant Hill, Californie

1
La sérénité

En choisissant de me montrer flexible face aux problèmes au lieu de m'en irriter, je permets aux solutions créatives de jaillir en moi.

◆

Mon esprit est en paix et aucun problème n'est insurmontable ou insoluble pour moi.

◆

J'aborde tous les problèmes avec douceur et bienveillance.

◆

Je ne dois pas être parfait, mais seulement humain.

◆

La vie est comme il faut, telle qu'elle est en cet instant.

◆

Je traite les inconnus avec gentillesse et respect.

◆

Je prends le temps de m'isoler, de réfléchir et d'apprécier ce calme.

◆

Je sais que je suis aimé, et chaque fois que je dis : « Je t'aime », je fais vivre l'amour dans le monde.

En ce moment, je suis calme et serein, et j'inspire ces sentiments à mon entourage.

Les symboles d'amour qui ornent mon foyer me rappellent en permanence que tout va bien.

J'accomplis chacune de mes tâches paisiblement et tranquillement.

Je suis conscient de mes humeurs changeantes et je fais preuve d'indulgence envers elles.

◆

Je demeure dans l'instant présent au cours de tous les conflits de mon existence.

◆

La première et la dernière chose que je fais dans la journée, en me réveillant et avant de m'endormir, c'est de vider mon esprit et de simplement vivre l'instant présent.

◆

Je pardonne et j'accepte ceux que j'aime, ce qui m'aide à me pardonner et à m'accepter moi-même.

◆

Lorsqu'on me demande comment je vais, je réponds sereinement, plutôt que de dresser la liste de tous mes problèmes.

En gardant mon calme face aux petits problèmes qui surviennent chaque jour, je protège mon corps des tensions et du stress.

Mon travail n'est pas toute ma vie. Atteindre un objectif ou achever une tâche est certes très gratifiant, mais chaque instant renferme en lui-même l'opportunité d'apprécier la richesse et la plénitude de l'existence.

Quand je me sens dépassé ou surchargé, j'allège mon esprit et je me rappelle qu'il est impossible d'être parfait.

◆

Je suis concentré et équilibré, et je ramène toujours mes pensées dans l'ici et maintenant.

◆

Ma vie est remplie d'harmonie, de sérénité et d'enthousiasme.

◆

En me concentrant sur le présent, j'agis avec calme et j'accorde à chacune de mes tâches l'attention qu'elle mérite.

◆

Si je me sens surchargé ou accablé, j'imagine qu'un inconnu m'observe et me rappelle l'amour inconditionnel que je prodigue aux personnes de mon entourage.

◆

Je demeure serein lorsque la tempête fait rage.

◆

J'affronte les conflits de l'existence avec une volonté de clairvoyance et une attitude saine.

◆

Je suis flexible et j'accepte facilement le moindre changement dans mes projets.

◆

Il n'y a pas de répétition générale dans la vie. L'instant présent est le seul qui existe vraiment.

◆

J'accueille les pressions inévitables de l'existence avec un esprit calme et un corps détendu.

◆

Je complimente autrui sans réserve et répands la joie de vivre.

◆

Je renonce à la critique et me concentre sur le positif chez moi et chez les autres.

◆

En ne me laissant pas abattre par les petits soucis du quotidien, je me protège de la négativité.

◆

Lorsqu'une contrariété inattendue survient au cours de la journée, au lieu de me contracter, je prends une grande inspiration.

◆

J'ai confiance en moi et je n'ai rien à prouver aux autres.

◆

Les autres m'apprécient plus quand ils constatent mon authentique humilité.

◆

Je suis une personne facile à vivre et paisible.

◆

Je m'en remets à la vérité de cet instant et éprouve une grande paix d'esprit.

◆

Ma petite voix intérieure sait tout ce que je dois savoir, faire ou modifier dans ma vie.

◆

Je reste ouvert à ce qui est et évite de vouloir que la vie soit comme je le désire.

◆

Je sais que l'intuition de mon cœur me prodiguera toutes les réponses dont j'ai besoin.

◆

Quel que soit le nom que je lui donne – Esprit suprême, Ange gardien, Conscience universelle ou Dieu –, cette force puissante m'épaule à chaque instant.

◆

Je sais être à l'écoute de ma voix intérieure, des gens avec qui je vis et de ceux avec qui je travaille.

◆

Au lieu de me conformer à une norme imposée, je définis moi-même ce que je suis vraiment.

◆

Quand je lâche prise sur un problème, ne serait-ce que quelques secondes, je permets à mon énergie créatrice de m'orienter vers une solution.

◆

Au lieu de m'acharner à résoudre un problème, je reste détendu et ouvert aux solutions qui se présentent.

◆

Plutôt que de dramatiser, je garde mon calme et je prends du recul.

◆

La nature ignore la précipitation et je fais partie de la nature.

◆

Quand je m'inquiète, je tiens la bride à mes pensées pour ne pas leur laisser prendre une ampleur démesurée.

Je sais que l'existence n'est pas une urgence permanente. J'accomplis mon travail avec plus de facilité et de plaisir lorsque je suis détendu et confiant, plutôt que noué et anxieux.

La vie est une succession de défis, de contretemps, de pressions et d'obstacles. La seule chose que je puisse contrôler, c'est de laisser ces désagréments m'affecter ou non.

Je demeure calme et serein quelle que soit l'époque ou la saison, et je ne me laisse jamais entraîner dans le tourbillon frénétique des périodes de fêtes.

◆

Je contrôle mes excès financiers, alimentaires et autres, parce que je suis maître de ma vie.

◆

Chaque jour, je ressens la présence de l'amour universel.

◆

Je réalise mes rêves à chaque minute de la journée.

◆

Je crois dans ma capacité à créer ma propre vie. Il n'est rien que je ne puisse accomplir.

◆

Je façonne mon avenir, l'esprit léger et le cœur ouvert.

◆

Chaque matin, je renouvelle mon engagement à garder le cœur et l'esprit ouverts.

◆

L'un des dons que je prodigue autour de moi est une communication attentionnée : je sais parler et écouter avec patience et amour.

◆

J'honore l'innocence et la beauté chez autrui comme en moi-même.

◆

Par mon attitude calme et sereine, j'atténue les tensions autour de moi, j'apaise la conscience collective et j'insuffle un plus grand sens à mes échanges.

◆

Je suis un interlocuteur attentionné, qui parle assez lentement pour laisser aux autres le temps de penser.

◆

Je me mets délibérément à l'écoute et je m'arrête pour réfléchir avant de répondre.

◆

J'irradie la paix et la tranquillité par ma manière de parler et d'écouter.

J'assure à ma vie un total équilibre en nourrissant mon âme, mon esprit et mon corps.

Je me connecte à mon âme en me reliant à ce qui a du sens dans mon existence.

Je trouve le temps de faire et d'apprécier ce que j'aime.

Je comble mon âme en côtoyant des gens qui m'inspirent et me rendent joyeux.

◆

Mon quotidien est rempli de beauté, car je suis relié à mon âme et je vois le divin en toute chose.

◆

Tous les attributs de la réussite ne sont rien à côté de la satisfaction que me procure la connexion profonde à mon esprit.

◆

Je veille sur ma vie intérieure comme j'entretiendrais une voiture, en prenant soin de tous ces rouages internes qui me garantissent une existence fluide.

◆

Je vis chaque jour comme s'il s'agissait du dernier.

◆

Mon esprit est connecté à mon cœur, et j'entretiens des pensées positives et enrichissantes.

◆

Je maintiens l'équilibre entre mon intellect et mon cœur, et j'en récolte paix, force et sagesse.

◆

Mes pensées naturelles sont positives, généreuses et porteuses d'amour.

◆

Je respecte mes engagements et je vis dans l'intégrité, ce qui génère un puissant courant d'énergie dans mon entourage.

◆

Mon esprit est toujours clair et détendu, prêt à accueillir l'abondance et à céder à la joie.

◆

Mon savoir inné est plus fort que mes croyances. Ma propre sagesse constitue une recette imparable pour engendrer la réussite, le changement constructif et le bonheur.

◆

J'accomplis une chose à la fois, en accordant à chaque tâche ma totale attention et en m'y consacrant avec une passion sereine.

◆

Je travaille avec enthousiasme et sans anxiété.

◆

Lorsque je parviens à anéantir les tensions en moi, j'évite que le stress ne se propage alentour et je contribue à créer un monde meilleur.

◆

Chacun de mes actes reflète mes bonnes intentions.

◆

Quand je m'arrête pour réfléchir, je me relie à une force plus profonde.

◆

J'abrite une source intarissable de sagesse et j'utilise la réflexion pour la faire remonter à ma conscience.

◆

Je dispose d'une énergie abondante et positive, qui génère des opportunités et des solutions constructives dans ma vie.

◆

Je confie tout ce que je possède à mes pensées positives, car elles constituent la force la plus puissante au monde.

◆

Ce que je projette m'est renvoyé, y compris l'énergie positive que je génère par mes pensées.

◆

J'utilise mon énergie mentale avec sagesse en la consacrant à des idées et à des pensées positives, et j'en récolte des bienfaits qui surpassent tous mes espoirs.

◆

Je m'accorde le temps de m'isoler et de ressourcer mon esprit.

◆

Lorsque je prends soin de mon âme, je me recharge en énergie et en intuition, et je peux aborder l'existence le cœur plus paisible et plus léger.

◆

Une vie équilibrée implique obligatoirement de consacrer du temps à ne rien faire.

◆

J'ai le pouvoir de briser le cercle infernal de la négativité en me riant d'un événement contrariant et en allégeant l'atmosphère.

◆

Ma paix intérieure me permet de conserver ma gaieté dans les situations stressantes.

◆

J'aborde les obstacles avec une attitude paisible et réceptive, plutôt que tendue et réactive.

◆

J'évince les inquiétudes, et je m'ouvre à la joie et à l'abondance.

◆

Je vis en harmonie avec ma conscience et j'embrasse sans effort le courant de l'univers.

◆

Je ne laisse pas le rythme effréné de ma vie ébranler mes fondements de paix et de force.

◆

Le monde est assez vaste pour que chacun puisse y réussir. J'aspire, du plus profond de mon cœur, à ce que tout être, moi compris, accède à son véritable potentiel.

◆

Je célèbre les tournants heureux dans l'existence d'autrui car, chaque fois que quelqu'un réussit, nous en tirons tous des bénéfices.

◆

Mon équilibre spirituel et mental me permet de me nourrir du potentiel illimité de l'univers.

◆

Les opportunités se créent partout où mes yeux se posent.

2

La valeur des problèmes

Lorsque je conserve une vision large du monde qui m'entoure, mes problèmes quotidiens deviennent des tâches ordinaires à accomplir et non des drames.

◆

Je refuse d'aggraver un problème en me concentrant sur mes fautes. Je considère mes erreurs avec bienveillance, j'en tire les leçons et je continue d'avancer.

◆

Face aux difficultés, je réagis avec recul et bonne grâce, car je sais que la vie n'est ni parfaite, ni dénuée d'obstacles.

◆

Adopter une perspective plus vaste m'évite de m'attarder sur des détails mineurs.

◆

Je ne résiste pas au courant de l'existence. Pour moi, les problèmes constituent des opportunités pour mûrir.

◆

Lorsque je commets une erreur, je suis reconnaissant de cette chance d'apprendre et de me perfectionner.

◆

Moins je lutte, plus je dispose d'énergie pour résoudre mes problèmes.

◆

Je considère chaque problème comme une leçon, et je me demande pourquoi cette question émerge dans mon existence et ce que je peux en apprendre.

◆

J'accède au vrai bonheur en modifiant ma relation à mes problèmes et non en me débarrassant d'eux.

◆

Les problèmes sont une source potentielle d'éveil et de prise de conscience.

◆

Tout obstacle peut m'aider à exercer ma patience, et m'ouvrir à une existence de progrès et de paix.

Je me fixe des limites saines. Je ne prends pas systématiquement les problèmes d'autrui sur mes épaules.

Je consacre davantage de temps à accepter les problèmes comme un élément naturel de l'existence qu'à les fuir.

La vie ressemble plus à une danse qu'à une bataille lorsque j'accepte les obstacles comme des opportunités.

Au sein de mon couple, j'aborde les questions, même les plus douloureuses, de manière sincère et honnête, ouvrant ainsi la porte à une meilleure compréhension mutuelle et à une plus profonde intimité.

❖

Je ne confonds pas mes propres sentiments de frustration avec les problèmes inhérents à mes relations. Je plonge au-dedans de moi pour trouver la source de mon inconfort.

❖

Plutôt que de réagir avec frustration et colère, j'examine mes problèmes sans a priori, animé par un authentique désir d'en tirer les leçons.

❖

Transformer mes problèmes en précieuses sources de progrès m'allège d'un lourd fardeau.

◆

Je ne blâme personne d'autre que moi pour mes problèmes.

◆

Je détiens toutes les clés pour me libérer de mes tourments.

◆

Tout obstacle constitue un enseignement potentiel.

◆

Je me concentre sur les démarches positives que j'entreprends pour surmonter mes problèmes, et j'annule les aspects négatifs qu'ils engendrent.

◆

Privilégier le positif dans toute situation rend ma vie plus passionnante.

◆

Je pratique l'acceptation sereine au lieu de lutter contre ce que je ne peux pas contrôler.

◆

L'acceptation neutralise le chaos et ouvre la porte aux solutions.

◆

Ma discipline de l'ici et maintenant me permet de conserver l'esprit clair et de trouver une issue à tout problème.

◆

Il existe toujours une manière positive de franchir un obstacle. Ma conscience supérieure est prête à me livrer toutes les réponses dont j'ai besoin.

◆

La paix de mon esprit me permet de relativiser toutes les crises.

◆

Je demeure détendu face au conflit et j'accepte toute chose avec miséricorde et clarté.

◆

Lorsque mon esprit s'emballe, j'ai la capacité de me détendre, de respirer profondément et de me relier à mon âme.

◆

Je remise mes problèmes à l'arrière de mon esprit, là où mon intelligence supérieure peut les traiter.

◆

Les solutions me viennent naturellement et sans effort.

◆

La vie s'écoule à un rythme plus tranquille lorsque j'aborde les difficultés et le travail avec un esprit détendu et paisible.

◆

J'ai le pouvoir de transformer radicalement ma façon d'aborder les problèmes.

◆

Chaque difficulté est une opportunité façonnée sur mesure, qui m'aide à apprendre quelque chose sur la vie ou sur moi-même.

◆

Les problèmes sont des cadeaux et non des entraves.

◆

J'ai confiance dans l'intuition de mon cœur qui me guide vers les solutions, le bien-être et le bonheur.

◆

J'accepte la vie telle qu'elle est et non telle qu'elle devrait être.

◆

Chaque défi, comme chaque instant, recèle une clarté et une vérité qui peuvent redonner un élan à mon existence.

◆

L'acceptation sereine m'ouvre la voie de la sagesse.

◆

J'éprouve une confiance absolue à l'égard de ma voix intérieure.

◆

Je considère mes efforts infructueux avec humour et je les évacue de mon esprit avec joie.

Les problèmes m'aident à briser les parties rigides de mon être et à réaliser tout mon potentiel.

Je suis totalement honnête avec moi-même et j'accepte mon entière responsabilité dans les circonstances de ma vie.

Je possède le pouvoir de générer les circonstances de ma vie et je détiens aussi celui de les changer.

Je me pardonne mes erreurs et je suis reconnaissant de ce qu'elles m'enseignent.

◆

Lorsque je me sens accablé par les difficultés, je me rappelle que les graines commencent à germer dans l'obscurité avant d'éclore en pleine lumière. Même dans les moments les plus éprouvants germent des étincelles de bonheur.

◆

Mon esprit est relié à mon cœur, et je n'ai aucun effort à faire pour nourrir des pensées positives et constructives menant à des solutions.

◆

Je sais, avec confiance, que l'univers et mes ressources intérieures m'aideront à dépasser toutes les difficultés.

◆

Quand j'admets ne pas savoir comment agir, je permets à ma sagesse intérieure de prendre le relais.

◆

J'accepte le fait que des problèmes surgissent en permanence dans mon existence et que tout ne tourne pas toujours rond. Cette compréhension m'aide à réagir avec sagesse et clarté, plutôt que dans l'inquiétude et la panique.

◆

En partageant des pensées et des sentiments positifs avec mes amis et mes proches, je brise le cercle infernal des lamentations et des plaintes qui peuvent détériorer l'harmonie d'un foyer.

◆

Je réponds plutôt que je ne réagis, essayant toujours de trouver des solutions créatives.

◆

Je transcende mes problèmes en faisant appel à ma conscience supérieure pour les balayer.

◆

En recourant à ma sagesse intérieure, je vois des solutions que mon moi réactif et émotionnel ne peut discerner.

◆

Ma mission, au travail comme dans mon foyer, consiste à enrayer les tensions et non à les propager.

◆

Je suis ouvert, enthousiaste et de bonne volonté, dès qu'il s'agit de trouver des solutions créatives.

◆

Mes problèmes ne me définissent pas. En revanche, ma façon de les aborder en dit long sur qui je suis.

◆

Je suis relié à une intelligence profonde qui me parle quand je plonge au-dedans de moi avec humi-lité.

◆

Mon esprit est un espace créatif rempli de solutions, de possibilités et d'inspirations.

◆

Mon énergie attire des circonstances et des personnes positives dans ma vie.

◆

En gardant une vision positive et un cœur ouvert, je prépare le terrain pour que jaillissent des solutions créatives et des opportunités excitantes.

◆

Je possède la capacité de changer n'importe quoi dans ma vie.

◆

Je ne crains pas de demander de l'aide. L'intuition de mon cœur me mène toujours vers quelqu'un qui dispose de la sagesse nécessaire pour m'offrir les conseils et l'appui dont j'ai besoin.

◆

Face à l'adversité, je prends du recul et je conserve mon sens de l'humour.

◆

Je suis ouvert et joyeux, même confronté aux obstacles, et je tire toujours les leçons de mes erreurs.

◆

J'identifie les tournants critiques de mon existence et les suis, plutôt que de m'obstiner à foncer tout droit.

◆

Grâce à mon esprit ouvert et à l'intuition de mon cœur, je peux puiser dans la sagesse profonde et universelle que nous partageons tous.

◆

Certains problèmes sont des signaux m'avertissant qu'il est temps d'emprunter une nouvelle direction. Sans ces difficultés, je pourrais m'embourber dans des sables mouvants durant des semaines, des mois, voire des années.

◆

Je ne blâme pas autrui et j'accepte ma responsabilité dans les événements de mon existence. Chaque fois que je dépasse un obstacle, je réaffirme ma capacité à accéder à toutes les solutions et je développe une confiance plus profonde dans mes ressources intérieures.

◆

En période de conflit, je fais preuve de pardon et de patience envers moi-même.

◆

Les conflits et les obstacles sont essentiels à ma progression personnelle.

◆

J'imite les savants et les créateurs : je suis prêt à lâcher prise pour recevoir la solution que je cherche dans mon sommeil, dans un rêve éveillé ou dans un éclair de conscience.

◆

Le matin, j'ouvre les yeux, le cœur rempli d'amour, prêt à aborder chaque événement de la journée avec patience, ouverture d'esprit et gratitude.

◆

Je respecte l'univers pour les difficultés qu'il génère dans ma vie, et qui m'aident à grandir et à développer pleinement mon potentiel de puissance et d'amour.

◆

Je ne perds pas de temps à déterminer qui a tort. J'accueille chaque expérience comme un moyen de grandir et de progresser.

◆

Mes problèmes constituent en réalité des opportunités d'apprendre à ouvrir mon cœur.

◆

J'ai la conviction que l'univers cache des bienfaits dans toutes les difficultés que je rencontre.

◆

Peu importe ce qui se produit dans mon existence, je sais que tout passe.

◆

Les problèmes sont non seulement inévitables, mais essentiels à la vie.

◆

Je suis flexible et ouvert à l'idée de considérer mes problèmes sous un nouveau jour.

◆

Face aux difficultés, je ne me laisse pas submerger par la peur. Je les affronte avec l'excitation d'un aventurier.

◆

Je mesure ma réussite à ma volonté d'affronter mes problèmes et non à mon acharnement à les éviter.

◆

Aussi insurmontable puisse-t-il paraître, un problème peut toujours être résolu.

◆

Je suis responsable de toutes les difficultés et de toutes les victoires de ma vie.

◆

Chaque obstacle que je dépasse me rend plus sage.

◆

Rester calme face à l'adversité constitue l'un des plus grands accomplissements de ma vie.

◆

Lorsque je rencontre toujours le même obstacle sur mon chemin, je me rappelle que c'est ma façon de penser qui doit changer.

◆

Chaque problème recèle une opportunité de progrès personnel.

◆

Je suis une personne forte et indépendante, pour qui les difficultés représentent des moteurs de progrès et d'épanouissement.

◆

Prendre en charge mes propres problèmes me permet de rester constructif dans tous les domaines de ma vie.

◆

L'univers m'envoie des joies et des contrariétés pour insuffler un sens à mon chemin de vie.

◆

Les conflits et les difficultés font jaillir le meilleur de moi-même.

◆

J'affronte mes problèmes avec dignité et je donne un exemple positif à mon entourage.

◆

Lorsque je m'efforce de résoudre un problème, je me rapproche de mon véritable potentiel.

◆

Les difficultés que je rencontre dans l'existence m'aident à mieux comprendre mes semblables.

◆

J'assume la responsabilité de mes problèmes, mais je ne m'y complais pas et je ne m'en plains pas devant autrui.

◆

En me concentrant en permanence sur le positif, je trouve des solutions.

◆

Quand j'octroie une pause à mon corps, je permets aux réponses de jaillir dans mon esprit.

◆

La vie est exactement telle qu'elle doit être, avec ses joies et ses peines.

3

La paix de l'esprit

Je prends le temps de me ressourcer en silence.

◆

Quelques instants d'isolement chaque jour m'aident à contrebalancer le bruit et les sollicitations du quotidien.

◆

Ma vie s'améliore et s'enrichit grandement lorsque je me lève tôt, et que je m'entoure de paix et de calme.

◆

Détendre mon esprit et mon corps est aussi essentiel à ma réussite que travailler pour atteindre mes objectifs.

◆

Lorsque mon esprit est libéré des soucis et des inquiétudes, je peux accomplir mes tâches avec plus d'énergie et d'efficacité.

◆

Le silence dans mon esprit constitue le fondement de ma paix intérieure.

◆

Ma sérénité intérieure se traduit par une paix extérieure et rejaillit sur tous les domaines de ma vie.

◆

Je suis façonné par mes habitudes. La pratique régulière du recueillement en silence et de la mise en veille de mes pensées conduit à une sérénité profonde.

◆

Je nourris le calme et le bien-être en entretenant ma paix intérieure.

◆

Je vide mon esprit des pensées négatives, et j'ouvre la porte aux pensées paisibles et positives.

◆

Mon esprit est capable de bien davantage que de penser, s'inquiéter et ressasser le passé.

◆

Cultiver ma paix intérieure améliore non seulement ma vie, mais aussi celle de mon entourage.

◆

Je ne suis pas obligé de faire quelque chose en permanence.

◆

Le moindre moment que je passe dans la contemplation silencieuse apporte un équilibre sain à mon existence effrénée.

◆

Je n'ai pas besoin de me concentrer ou de me divertir à chaque seconde de la journée.

◆

Je ne crains pas de m'ennuyer quand je me recueille. Je n'anticipe rien.

◆

J'ai la patience de lâcher prise sur mes pensées quelques instants et de m'exercer à faire le silence dans mon esprit.

◆

Mon esprit hyperactif a soif de silence.

◆

Le calme et la méditation m'aident à affronter les inévitables tensions de l'existence avec un esprit plus détendu.

◆

Lorsque mon esprit s'emballe, je prends un instant pour me recueillir en silence, respirer profondément et me concentrer sur l'ici et maintenant.

◆

Ma tranquillité d'esprit rejaillit sur chacun de mes gestes.

◆

Prendre le temps de me taire et de ne penser à rien constitue l'un des plus beaux cadeaux que je puisse m'offrir.

◆

Consacrer du temps à la tranquillité et au silence ne réduit en rien ma responsabilité envers ma famille et mon travail. Au contraire, cela me permet d'aborder toute chose avec plus d'énergie et de sérénité.

◆

Ma paix intérieure me permet de distinguer ce qui est important de ce qui ne l'est pas.

◆

Ma voix intérieure résonne plus fort que tout.

◆

La méditation m'aide à cultiver la légèreté et l'harmonie dans ma vie.

◆

La journée se déroule plus paisiblement quand je prends un instant pour fermer les yeux et me recueillir en silence.

◆

Le silence de mon esprit nourrit pleinement mon âme.

◆

Ma vie intérieure mérite d'être ressourcée par le recueillement et le silence.

◆

Un esprit qui se tait m'est aussi indispensable qu'un esprit qui pense.

◆

Le silence de mon esprit est une oasis paisible où je peux me ressourcer quand je le souhaite.

◆

Je me recharge en énergie vitale chaque fois que je me recueille en silence.

◆

J'entretiens régulièrement mon esprit par la contemplation, et mon corps par l'exercice physique.

◆

Mon cerveau hyperactif mérite une pause, sous la forme d'une méditation silencieuse.

◆

La pratique du silence dans mon esprit me fortifie et m'évite d'être contrarié par des broutilles.

Je définis moi-même le rythme de ma vie.

Développer la patience et la discipline nécessaires à pacifier mon esprit constitue une grande victoire.

Je me recueille en silence, en témoignage de respect pour mon âme.

Ma sagesse intérieure se manifeste dans les moments de silence.

◆

Ma capacité à aimer grandit lorsque je puise dans le silence de mon être intérieur.

◆

Le silence de la méditation m'aide à me connecter à mon âme.

◆

La méditation est mon aventure intérieure.

◆

L'esprit qui contemple me livre autant d'informations cruciales que l'esprit qui pense.

◆

Mon âme mérite quelques minutes de silence chaque jour.

◆

Je chéris mes moments de silence autant que je chéris les instants passés avec ceux que j'aime.

◆

Ma vision intérieure est claire et toujours accessible.

◆

Je suis en paix avec l'univers.

Mon être intérieur m'oriente toujours vers le bon chemin.

Mon esprit silencieux est réceptif aux idées infinies qui flottent dans l'univers.

J'aime l'esprit qui se tait en moi et je le nourris en silence.

Tous les aspects de mon être, visibles ou invisibles, vivent et vibrent.

◆

Ma paix intérieure me permet d'accepter tout ce que la vie peut offrir.

◆

Chaque moment que je passe dans le calme et le silence me rapproche de mon être authentique.

◆

La paix de mon esprit enrichit ma vie, plus qu'aucun bien matériel ou financier ne pourrait le faire.

◆

Lorsque je me recueille en silence, je participe à une tradition intemporelle de sagesse.

◆

Je suis débordant de silence et de paix.

◆

La contemplation apporte l'harmonie dans mon travail et au sein de mon foyer.

◆

Apaiser mon esprit constitue un acte d'amour.

◆

Lorsque je cesse de me complaire dans mes petits soucis, je me dote d'une plus grande énergie pour accomplir des choses constructives.

◆

En évitant de dramatiser les ennuis mineurs, je dispose de plus de temps pour apprécier la magie et la beauté de la vie.

◆

Lorsque je me sens accablé, je prends quelques secondes pour me rappeler qu'être en vie constitue un miracle.

◆

Chaque moment de silence est un saut vers l'inconnu.

◆

Je peux retrouver à tout moment la tranquille application de mon enfance, lorsque j'étais absorbé dans un livre ou un dessin.

◆

Même dans mon sommeil, mon esprit est peuplé de rêves. La pratique consciente du silence intérieur est un don que je fais à mon être.

◆

Mon esprit silencieux est la source de toute ma bienveillance.

◆

Lorsque je me connecte à cette paix qui réside au fond de moi, toute ma peur se dissipe.

◆

Chaque fois que je plonge au-dedans de moi, je me rapproche de ce que je suis vraiment.

❖

Je lave mon esprit de toute pensée et le purifie en silence.

❖

La plus grande satisfaction de ma vie provient de cette descente dans les profondeurs de mon être qui me relie à mon âme.

❖

La pratique du silence m'aide à puiser la force émanant de ma source la plus profonde, et dissipe mes faiblesses mentales et physiques.

❖

Me recueillir en silence purifie mon esprit et m'ouvre ainsi la voie de la connaissance.

◆

J'emplis mon esprit de pensées positives et de beaux idéaux, ce qui invite la réussite dans tous les domaines de ma vie.

◆

L'énergie que je puise dans mon être intérieur me rend plus puissant.

◆

Plus je suis au contact de mon âme, plus je développe ma tendresse, ma sincérité, ma générosité et ma joie.

◆

Je me recueille en silence pour libérer la sagesse et la lumière qui résident au-dedans de moi.

◆

Je suis reconnaissant pour tous les moments que je passe en silence et j'aspire à cultiver cette pratique.

◆

Je prends le temps de me recueillir en silence quasiment tous les jours et je ne me décourage pas s'il m'arrive de ne pas le faire. Mon envie de retrouver ces instants de calme constitue un signal de mon être profond pour m'indiquer que je suis sur la bonne voie.

◆

Je suis toujours détendu, calme et prêt à écouter ma voix intérieure.

◆

Je ne réclame à rien ni à personne de me prodiguer la paix de l'esprit. La tranquillité parfaite réside au-dedans de moi.

◆

Je respecte et reconnais le calme et le bien-être intérieur émanant de la sagesse qui réside chez tous ceux que je rencontre.

◆

Chaque moment que je passe en silence est un cadeau que je fais à autrui comme à moi-même.

◆

La dernière chose que je fais avant de m'endormir est de remercier la sagesse et le soutien qui ont jailli de mon être intérieur tout au long de la journée.

Je nourris une confiance absolue dans ma conscience supérieure et j'attends ardemment de la contacter chaque jour.

J'ai reçu la bénédiction d'abriter une conscience et une vie intérieure.

Le moment le plus parfait pour moi est celui où je me recueille en silence, où j'écoute ma voix intérieure et où je puise des forces dans les ressources infinies de l'univers.

Il n'existe pas de conflit que je ne puisse résoudre en écoutant ma voix intérieure.

La simplicité, le silence et l'amour constituent l'essence de mon âme.

La sérénité de mon être intérieur se traduit dans le moindre de mes actes et sous-tend la moindre de mes paroles.

4

Le pouvoir de choisir

En cet instant, je décide d'être heureux.

◆

Il y aura toujours des problèmes et des difficultés à affronter, mais je ne les utilise plus comme prétexte pour retarder mon bonheur.

◆

Je ne suis pas moulé dans de l'acier. Je suis flexible et ouvert au changement.

◆

Face à une situation contrariante, je choisis d'être bienveillant.

◆

Mon avenir se déroule devant moi selon les rêves et les objectifs que je choisis maintenant.

◆

Je remplace mes anciens schémas comporte-mentaux par de nouvelles habitudes de recul et de mise en perspective.

◆

J'ai le pouvoir de choisir ma façon de réagir à tout ce qui se produit dans ma vie.

◆

Mes habitudes ne sont pas immuables.

◆

Je vois le bien en chaque personne.

◆

Je considère mon existence comme un cadeau et non comme une liste de corvées.

◆

Je choisis de privilégier la bienveillance, l'amour et la compassion.

◆

Face aux commérages et aux calomnies, je choisis de me taire.

◆

Mon esprit attire les pensées et les paroles positives comme un aimant.

◆

En cet instant, j'apprécie la vie telle qu'elle est.

◆

Au lieu de supposer que les autres connaissent mes pensées, je leur exprime ouvertement mon amour et mon soutien.

◆

J'essaie toujours de traiter autrui comme j'aimerais qu'on me traite.

◆

Je choisis d'aborder mon travail avec calme et je laisse ma paix intérieure irradier autour de moi.

◆

Confronté à un choix, j'essaie d'agir de la manière la plus aimante.

◆

Quand je choisis de me montrer généreux, je reçois encore davantage.

◆

Je choisis d'être humain et non parfait.

◆

Je m'aime d'un amour inconditionnel.

◆

Je choisis de soutenir plutôt que de critiquer.

◆

Je suis conscient de ma colère et je choisis de la transformer en pardon et en compréhension.

◆

Je lâche prise sur les ressentiments et les broutilles du passé.

◆

J'accepte le changement comme une force positive de l'existence.

◆

Je prends soin de moi-même comme d'un enfant que j'aime.

◆

Quand mes journées sont surchargées, je choisis le calme plutôt que la frénésie.

◆

Je me concentre sur les enseignements positifs de mes erreurs.

Mon avenir est rempli de l'abondance et de la joie auxquelles je décide d'accéder.

J'allège les tensions dans mon corps et dans mon environnement, au lieu de les amplifier.

En cet instant, je choisis d'abandonner l'une de mes mauvaises habitudes et de libérer l'énergie vitale qu'elle consommait, pour des choses plus nobles.

Chaque fois que je me surprends à ressasser le passé, je choisis de lâcher prise, et de me concentrer sur le présent et sur les possibilités infinies que m'offre l'avenir.

Lorsqu'on me critique, je choisis de tirer une leçon de ces paroles et d'être reconnaissant pour cette opportunité de grandir.

Je m'efforce d'être humble et sincère, et je n'éprouve aucun besoin de me vanter ni de me plaindre.

Je décide de tempérer mes opinions les plus radicales et de les transformer en prenant davantage de recul.

Je choisis de m'éloigner de ceux qui se complaisent dans le négatif et polluent l'atmosphère par leur cynisme.

◆

Dans toute conversation, je choisis d'écouter plutôt que de poursuivre un monologue avec moi-même.

◆

Ma vie reflète mes choix.

◆

Quand je choisis l'égoïsme, mon univers devient étriqué et étouffant. Quand je choisis la générosité, mon univers s'élargit au-delà de toute limite.

◆

Je choisis la voie qui se révèle à moi au travers de mon intuition.

◆

Lorsque je me retrouve entouré de négativité ou de tensions, je choisis de conserver un cœur léger et de puiser dans ma paix intérieure.

◆

J'abandonne mes anciennes pensées dévalorisantes.

◆

Je m'entoure de personnes qui aiment et savourent la vie.

◆

Je choisis d'aimer et d'accepter les gens.

◆

Je sais que je suis davantage qu'un corps et j'invite ma conscience supérieure à intervenir dans mon existence. Dans les situations stressantes, elle m'indique la façon juste d'agir.

◆

Je choisis la patience plutôt que l'intolérance, la gentillesse plutôt que l'opportunisme.

◆

Je suis l'architecte de ma vie, et je choisis la joie, la prospérité et la spiritualité.

◆

J e choisis de faire confiance à la sagesse de mes rêves.

◆

J e choisis de reconnaître la beauté dans tout ce que je vois aujourd'hui.

◆

A vant de m'endormir, je choisis de lâcher prise sur tous mes problèmes et préoccupations pour la nuit et de les remettre aux mains de l'univers.

◆

J e prends des décisions qui émanent de mon cœur.

◆

Je décide de mener ma vie en fonction de ma sagesse intérieure et non selon les exigences de la société.

◆

J'élabore ma propre définition de la réussite et, chaque jour, je travaille passionnément à atteindre mes objectifs.

◆

Lorsque je me sens accablé, je m'arrête un instant pour considérer le comique de ma situation et je choisis de rire de mes péripéties.

◆

Pendant les périodes de fêtes, je choisis de suivre mon propre rythme de vie et de conserver ma sérénité.

◆

Je prends un moment pour me rappeler que je suis aimé, protégé et libre.

◆

Je me concentre sur l'énergie vitale, miraculeuse et inébranlable, qui circule dans mon corps.

◆

Je choisis de laisser l'amour et l'énergie pénétrer dans mon cœur.

◆

Quand je décide de remettre une tâche au lendemain, je demande à ma conscience supérieure de me donner la discipline nécessaire pour avancer et puiser de la joie dans mon travail.

◆

Je choisis d'accepter avec la paix de l'esprit tout ce qui se présente sur mon chemin en cet instant.

◆

J'assume mes responsabilités, et vis chaque journée de manière digne et honorable.

◆

Je choisis de me montrer moins impétueux et d'aborder les situations avec patience et intégrité.

◆

Je suis ouvert à toutes les opportunités dont l'univers jalonne mon parcours.

◆

Je choisis d'être en paix, de manière à entendre les opportunités qui frappent à ma porte.

◆

Je choisis de prendre suffisamment de recul afin d'éviter de m'embourber dans des problèmes mineurs.

◆

Je choisis d'écouter la voix de ma sagesse intérieure plutôt que de suivre aveuglément les conseils d'autrui.

◆

J'aborde chacune de mes actions avec amour.

◆

Quand je me concentre sur une tâche, je suis efficace, créatif et pleinement vivant.

Je choisis de libérer mon esprit de toute inquiétude.

J'aborde mon travail avec une passion sereine et les défis qui se présentent génèrent en moi de l'enthousiasme plutôt que de l'anxiété.

Je lâche prise sur mon angoisse et je m'en libère, afin de considérer les situations stressantes sous un nouveau jour.

Je choisis la curiosité et l'ouverture d'esprit, plutôt que le cynisme.

◆

Je choisis de reporter la prise d'une décision importante quand je me sens tendu et démoralisé.

◆

J'ai le pouvoir de décider de ce qui est important ou futile dans mon existence.

◆

Je choisis de consacrer mon énergie mentale au positif et de constater l'abondance et le bonheur qu'elle engendre dans ma vie comme dans celle de mon entourage.

◆

Je concentre mes pensées sur la richesse et je lâche prise sur mes soucis financiers.

◆

J'utilise mon esprit pour favoriser des changements positifs (solutions viables, projets constructifs), plutôt que de gaspiller mon énergie mentale dans la critique et dans la recherche de ce qui ne va pas.

◆

Je sais ce que je veux, et je possède la détermination et la confiance suffisantes pour le demander.

◆

Je me libère de ma peur du rejet.

◆

J'ai le droit de demander de l'aide.

◆

Je donne davantage à autrui quand je fais du mieux que je peux.

◆

Je choisis le parti de la force la plus puissante : celui de l'énergie positive.

◆

Mon attitude positive est porteuse d'un avenir de passion, d'abondance et d'harmonie. Les pensées positives que je nourris aujourd'hui me permettront de récolter des récompenses inespérées demain.

◆

Je choisis de voir grand et de m'ouvrir à toutes les possibilités.

Je choisis de tempérer les bavardages de mon esprit et d'écouter les conseils que le vent du changement souffle à mon oreille.

J'opère des choix guidés par mon savoir profond et je dirige ma propre existence.

Face à un problème, je choisis de m'arrêter pour réfléchir plutôt que de réagir avec colère et agressivité.

J e choisis d'aborder mes tâches domestiques et quotidiennes dans le calme et l'acceptation, en sachant que j'aurai toujours plus à faire et en me concentrant sur une chose à la fois.

J e choisis de m'ouvrir à un flux constant d'énergie positive.

J e choisis de me sentir parfaitement à ma place et de nourrir la conviction que tout est exactement comme il faut.

J e suis persuadé que tout va bien dans l'univers et je n'éprouve nulle crainte ou incertitude.

Je permets délibérément à ma merveilleuse unicité de rayonner autour de moi.

◆

Lorsque mon esprit s'égare, je choisis de toujours le ramener à des pensées positives et aimantes.

◆

Tout se combine pour tendre vers le bien et la perfection, aujourd'hui et chaque jour.

◆

Je choisis de considérer ma vie comme un miracle et de célébrer mes amis, mes proches, mes chances de grandir, mes opportunités professionnelles et toute la beauté naturelle qui m'entoure.

◆

Je choisis d'incarner un exemple de sincérité, d'honnêteté, d'intégrité et d'énergie positive.

◆

Je choisis de prendre le contrôle des situations que je vis avec calme et sérénité.

◆

Je suis patient et clément vis-à-vis de moi-même.

◆

Je me simplifie l'existence par choix, non par besoin. Je m'efforce délibérément d'être simple.

◆

J'évalue moi-même mes résultats et je confie à ma sagesse intérieure le soin de m'indiquer s'il convient de persévérer ou de changer d'orientation.

5

La gratitude

Je suis reconnaissant pour ce que je possède et pour le simple fait d'être en vie.

◆

Je suis reconnaissant pour mon travail et je puise de la joie dans la moindre tâche que j'accomplis.

◆

Je suis conscient de la perfection intrinsèque de l'existence.

◆

Je prends un moment chaque jour pour penser à une personne envers qui j'éprouve de la gratitude.

En me réveillant le matin dans un esprit de gratitude, j'aborde la journée avec un sentiment de paix.

Je possède un cœur aimant et reconnaissant des plus infimes détails du quotidien, du simple geste de courtoisie au sourire d'un inconnu dans la rue.

La sensation de gratitude me plonge dans un état de calme et d'ouverture.

Je m'arrête souvent dans la journée pour être reconnaissant d'avoir du travail et de recevoir tant d'amour dans ma vie.

◆

Je choisis d'apprécier tout ce que l'existence m'apporte et, plus ma gratitude s'accroît, plus je me sens en harmonie avec mon environnement et mon entourage.

◆

À la fin de chaque journée, je prends quelques instants pour réfléchir et remercier.

◆

Je me sens béni d'être en vie.

◆

Je suis reconnaissant d'être un hôte de Dieu sur cette belle planète.

◆

J'éprouve de la gratitude lorsque je me porte bien et je m'efforce de me comporter avec élégance quand je me sens mal en point.

◆

En cet instant, je ferme les yeux, j'inspire profondément et je me rappelle toutes mes raisons d'être reconnaissant.

◆

Je veille à me féliciter pour ce que j'ai, plutôt que de me lamenter sur ce que je n'ai pas.

◆

Je sais déceler l'extraordinaire dans l'ordinaire.

◆

Je m'émerveille devant cette vie miraculeuse qui s'écoule dans mon corps et le fait vibrer.

◆

Le moindre souffle de vie est précieux et je suis reconnaissant d'être entouré de gens, d'animaux, de plantes et de toute forme vivante.

◆

Recenser les bénédictions de mon existence m'aide à concentrer mon esprit sur ce qui va bien dans ma vie.

◆

Quand mon cœur est empli de gratitude, je ne peux m'empêcher de passer une journée merveilleuse.

◆

J'ai de la chance de vivre sur cette terre et de pouvoir aimer et être aimé.

◆

Je suis reconnaissant pour ma capacité à éprouver et exprimer des émotions : rire avec mes proches, donner ou recevoir de l'amour, être ému par la musique et par l'art, sentir mon cœur se gonfler de joie.

◆

En cet instant, je m'arrête pour me rappeler combien je me réjouis d'être en vie.

◆

J'ai de la chance, car je suis capable de créer la vie que je désire.

◆

Je commence chaque journée en pensant à une chose pour laquelle je suis reconnaissant.

◆

Le sentiment de gratitude nourrit mon âme.

◆

Une gratitude sincère se révèle contagieuse : quand quelqu'un fait quelque chose pour moi ou me rend heureux, j'exprime ouvertement ma reconnaissance et je partage mon bien-être.

◆

Je n'attends pas que l'infortune des autres m'incite à apprécier ma vie et je ne prends pas les petits miracles du quotidien pour acquis. Je suis profondément reconnaissant pour les rires, l'amitié, la beauté, la fraîcheur de l'air et les rayons du soleil filtrant à travers les arbres.

Poser sur le monde un regard de gratitude me procure une perspective plus vaste et plus bienveillante.

La vie est fragile et je me réjouis de chacun de ses précieux instants.

Le sentiment de gratitude emplit mon cœur d'une conscience plus élevée.

◆

Plus j'exprime ma gratitude, plus je découvre des raisons d'être reconnaissant.

◆

L'évidence du bien se manifeste partout autour de moi.

◆

En cet instant, mon corps accomplit d'innombrables actions qui me maintiennent en vie et en bonne santé, sans que j'aie à le demander.

◆

Mon cœur reconnaissant est une source de joie pour moi et pour les autres.

◆

Je mesure la puissance d'un merci simple et néanmoins sincère, et je ne manque jamais de diffuser cette forme d'énergie positive.

◆

Il n'y aura jamais de jour semblable à celui-ci.

◆

Je suis reconnaissant pour cette journée qui m'offre de nouvelles possibilités de grandir et de donner toujours plus d'amour.

◆

J'apprécie le soutien émotionnel que je reçois de ma famille et de mes amis, et je leur exprime ma gratitude.

◆

En cet instant, je remercie Dieu de m'avoir donné la vie.

◆

Je suis reconnaissant pour ma sagesse intérieure, qui me prodigue toujours des conseils et des solutions.

◆

J'accueille les idées neuves qui viennent à moi et je suis reconnaissant de posséder un esprit ouvert qui me permet de les recevoir.

◆

Chaque seconde de ma vie est un cadeau.

◆

Je suis reconnaissant pour l'énergie qui alimente ma créativité.

◆

Je suis reconnaissant d'avoir la chance de travailler pour atteindre mon véritable potentiel.

◆

Je ressens l'air qui entre dans mes poumons et je suis reconnaissant de ce processus vital.

◆

Tous les matins, je me lève en exprimant toute ma gratitude pour cette journée qui commence et qui me donnera encore l'occasion d'apprendre et de gagner ma vie.

◆

J'apprécie l'aide et le soutien de tous ceux qui m'ont permis d'arriver là où j'en suis aujourd'hui.

◆

Je suis reconnaissant pour les droits et les libertés dont je jouis en tant que membre de cette société.

◆

Chaque fois que j'ai la chance d'aller au cinéma, de regarder la télévision ou d'écouter la radio, je suis reconnaissant de toutes les formes de distraction à ma disposition.

◆

J'apprécie les petits gestes de gentillesse qui jalonnent chacune de mes journées, au bureau, dans les magasins, à l'école, chez moi, dans la rue ou pendant mes trajets.

◆

Je suis reconnaissant pour le téléphone et toutes les technologies qui me permettent de rester en contact avec ceux que j'aime.

◆

Je remercie tous mes professeurs.

◆

Quand je vois le soleil durant le jour et les étoiles durant la nuit, mon cœur s'emplit de gratitude à l'idée de ce formidable univers.

◆

Par un merci sincère, je témoigne aux gens combien je les respecte et je les apprécie.

◆

J'ai toujours le temps de remercier les autres pour leur aide et leur gentillesse, quelle que soit l'importance de leur geste.

◆

Je ne prends ni mon logement, ni mon travail, ni mon moyen de transport pour acquis.

◆

Avant de manger, je prends quelques secondes pour remercier l'univers de me sustenter.

◆

Je suis reconnaissant pour l'affection et la compagnie de mes animaux domestiques.

◆

J'éprouve de la gratitude pour cet environnement qui me procure l'air à respirer, le sol à fouler et la nature à contempler.

◆

Je suis reconnaissant pour la capacité innée de mon corps à guérir.

◆

Je remercie tous ceux qui cultivent la terre et nourrissent le monde.

◆

La sensation de gratitude me projette dans un état de contemplation qui nourrit mon âme.

◆

Lorsque la gratitude emplit mon cœur, je suis plus ouvert à la joie de vivre.

◆

Je suis reconnaissant pour ma faculté de ne pas dramatiser et de ne pas m'inquiéter de la moindre difficulté qui peut survenir dans la journée.

◆

Chaque fois que j'entends la voix d'un bébé ou d'un enfant, je suis reconnaissant de la pérennité de la vie.

◆

Je suis plein de reconnaissance pour ma faculté de lire et pour tous ces ouvrages qui m'ont insufflé compréhension, sagesse et inspiration.

◆

En cet instant, je prends un moment et je me félicite de ce que je suis en train de faire ici et maintenant.

◆

Mon sentiment de gratitude est une preuve de l'amour que je porte à toute chose.

◆

Je lâche prise sur mes anciens ressentiments et je suis reconnaissant pour toutes les expériences que j'ai vécues.

◆

Je remercie le Créateur de m'avoir donné la capacité de réfléchir, d'apprendre, de grandir et de développer mon potentiel.

◆

Je suis reconnaissant pour mes cinq sens, qui me permettent de respirer le parfum des fleurs et des draps frais, de voir les visages de ceux que j'aime et la beauté de la nature, de sentir le monde du bout de mes doigts, d'entendre la musique et les voix, de goûter les nourritures terrestres.

◆

Je me félicite d'avoir un cœur ouvert et capable d'éprouver de l'amour et de la compassion.

◆

Au cours de la journée, je m'arrête de temps à autre pour me concentrer sur ma respiration et ressentir ma gratitude à l'égard de tous ces miracles invisibles qui se produisent dans mon corps.

Je suis reconnaissant pour le chant des oiseaux au petit matin.

Je suis reconnaissant pour cette sagesse qui m'aide à lâcher prise au lieu de résister face aux problèmes.

Tout au long de la journée, je pense à prendre du recul et je me réjouis d'être en vie à chaque instant.

Je suis reconnaissant pour ma capacité à me recueillir et à trouver la paix, au lieu de me laisser démoraliser par des broutilles.

◆

J'éprouve de la gratitude pour mon désir profond de me relier à mon âme.

◆

Chaque étincelle de lucidité qui m'inspire me rend plus compréhensif et plus aimant, et se répercute sur tout mon entourage.

◆

Je suis reconnaissant pour mon aptitude à écouter mon cœur et pas seulement ma tête.

◆

Je me libère de mes anciennes habitudes de cynisme et de pessimisme, et je choisis de privilégier ma gratitude.

◆

Ma conscience la plus éclairée me permet de découvrir toujours davantage de raisons d'être reconnaissant.

◆

Chaque pas en avant dans mon existence amplifie ma gratitude envers toute chose.

◆

Je suis reconnaissant de faire une différence dans ma vie aujourd'hui, que ce soit en partageant de l'amour à travers un simple sourire, en abordant un conflit avec bienveillance, en aidant physiquement quelqu'un ou en pensant à autrui de manière positive.

Je remercie l'univers de m'aider à résoudre les problèmes et à abandonner mes anciennes habitudes.

Je suis reconnaissant pour l'amour que je reçois en cet instant.

Je remercie tous ceux qui se présentent sur ma route pour partager des points de vue différents et élargir ma perspective.

Je possède la faculté de prendre des décisions sages et constructives, et je suis reconnaissant pour mon aptitude à écouter ma sagesse intérieure.

◆

Je remercie pour ma capacité à projeter de l'amour en cet instant.

◆

Je sais me discipliner afin d'œuvrer à la réalisation de mes rêves avec joie et confiance.

◆

Je chéris mes moments de silence, et je me félicite de cette oasis intérieure de paix et de sérénité.

◆

Je suis reconnaissant envers tous ceux qui m'ont montré un exemple positif dans l'existence. Ici et maintenant, je prends un instant pour songer à une personne qui m'a inspiré.

◆

Il n'existe rien d'ordinaire en ce monde, et je suis reconnaissant pour les dons singuliers et la personnalité unique dont j'ai été doté.

◆

Je renonce à mon attitude de victime et je suis reconnaissant de savoir que le pouvoir de changer réside au fond de moi.

◆

Je suis reconnaissant de mes ressources intérieures illimitées.

◆

Je suis reconnaissant pour ce chemin qui se dessine sous mes pas à chaque instant.

◆

Je nourris les espoirs les plus ambitieux pour moi comme pour autrui. L'univers est assez grand pour que tout le monde puisse accéder au vrai bonheur et exprimer son potentiel.

◆

Mes priorités sont claires et je suis reconnaissant pour ma capacité à consacrer toute mon énergie aux choses essentielles de l'existence : le partage de l'amour et la conscience de mon lien avec toute chose et tout être.

6

L'abondance

Chaque aspect de ma vie est le prolongement de ma conscience. Mon sentiment d'abondance constitue la base de ma prospérité.

◆

En cet instant, j'ai tout ce qu'il me faut.

◆

J'abandonne mes sentiments d'envie et de jalousie à l'égard d'autrui, et j'ouvre mon cœur à toutes les bonnes choses.

◆

Ma réussite ne repose pas sur l'échec des autres. Je souhaite sincèrement la prospérité et le bonheur de chacun.

◆

Les occasions se présentent toujours à plusieurs reprises. Je me libère de ma frustration quant aux opportunités passées.

◆

Je renonce à croire qu'il n'y a pas assez pour satisfaire chacun.

◆

À mesure que je me libère de mes peurs et de mes anxiétés, j'accrois mon énergie et ma créativité.

◆

Mes pensées positives sont capables de générer tout ce que je souhaite.

◆

La seule limite à ma réussite financière est celle que fixent mes pensées.

◆

L'abandon de mes anciennes croyances sur l'argent représente un défi passionnant et je suis prêt à changer ma vie pour toujours.

◆

L'argent ne constitue qu'une des contingences de la vie.

◆

Je mérite de posséder les ressources financières nécessaires pour prendre soin de moi et de ceux que j'aime.

◆

Ma prospérité me donne la possibilité de soutenir des causes qui me tiennent à cœur.

◆

Quand je cultive mon sentiment d'abondance, ma prospérité se répand autour de moi et profite aux autres.

◆

Ma réussite financière est le résultat de mon sentiment d'abondance et non l'inverse.

◆

J'ai confiance dans l'univers et dans mes ressources intérieures.

◆

Ma prospérité ne dépend pas de mon travail ou de ma carrière, mais de ma conviction profonde que les ressources illimitées de l'univers sont miennes.

◆

Le sentiment de prospérité me rapproche sans cesse davantage de la véritable abondance.

◆

Quand je concentre mon esprit sur la prospérité, elle se manifeste dans la vie réelle.

◆

J'abandonne toutes mes inquiétudes financières pour laisser mes antennes détecter toutes les opportunités d'abondance.

◆

Mon esprit est ouvert à recevoir tous les cadeaux de l'univers.

◆

J'abandonne l'idée que quelque chose manque dans l'univers ou dans ma vie.

◆

Je suis reconnaissant de tous les services que la société met à ma disposition et je remplis mes chèques avec gratitude. J'ai de la chance d'avoir l'eau, l'électricité, un foyer, de quoi manger, m'habiller et me déplacer.

◆

Je suis reconnaissant pour toutes les prestations que mes impôts financent et apprécie de vivre dans une société libre.

Je suis fier de soutenir le régime démocratique de mon pays.

Mon esprit accepte la prospérité financière.

J'abandonne toute idée de limite.

La sensation calme et sécurisante de richesse emplit mon esprit.

◆

Je pense à mes finances avec un cœur joyeux.

◆

Je m'efforce de remplir toutes mes obligations financières.

◆

L'énergie de l'univers afflue dans ma vie.

◆

J'accepte avec joie toutes les responsabilités inhérentes à la gestion de l'argent.

Je me réjouis de voir mon abondance enrichir le monde.

Aucune force extérieure n'entrave ma prospérité. Les obstacles ne sont que des produits de mon imagination et je les balaie en une seconde par une pensée positive.

Chaque éclair d'intuition me rappelle que mes ressources intérieures sont omniscientes et omnipotentes.

Je suis capable de générer l'abondance à laquelle j'aspire grâce à la puissance de mes pensées positives.

◆

Mon esprit est orienté vers l'abondance et libéré de toute idée de limite.

◆

Tout ce que je fais est constructif et voué à réussir.

◆

J'accomplis toutes mes tâches avec cœur, et je suis bien récompensé pour mon travail.

◆

Je suis entouré et soutenu par un univers sans limite.

◆

Chaque pensée positive me renvoie aux nombreuses façons dont l'amour se manifeste : les émotions, l'énergie positive et l'abondance matérielle.

◆

J'ouvre grandes les portes à mon sentiment d'abondance et lave mon esprit de tous les doutes.

◆

Mon esprit est en paix et j'ai la totale conviction que mes finances prospèrent.

◆

L'expansion est inhérente à la nature de l'univers et mon sentiment d'abondance s'amplifie à chaque seconde.

◆

Alimenter mes pensées positives au sujet de l'argent constitue l'un des actes les plus vertueux que je puisse accomplir pour moi-même et pour autrui.

◆

La générosité du Créateur s'exprime à travers moi.

◆

Je suis un canal par lequel l'abondance de l'univers se diffuse dans le monde.

◆

J'abandonne les attitudes négatives qui m'ont été inculquées dans mon enfance à l'égard de l'argent.

J'ai le pouvoir de transformer mes pensées sur l'argent.

Mon attitude positive se concrétise dans le monde physique.

Les inquiétudes pécuniaires représentent des soucis mineurs que je surmonte grâce aux pensées positives.

Mon sentiment d'abondance est un don de ma sagesse intérieure. Je choisis d'accepter ce cadeau et d'en user avec sagesse pour le bien de tous.

◆

Mes anciennes croyances font partie de ces choses que j'ai désormais l'occasion de remettre en ordre. Mon avenir recèle une prospérité inimaginable.

◆

La limite de ma richesse est fixée par mes pensées. Je choisis de voir grand.

◆

L'argent est une force positive qui enrichit l'existence et permet la réalisation de choses merveilleuses.

◆

Je dépense mon argent sagement et je respecte toutes mes obligations.

◆

Toutes les croyances mesquines et négatives qui entravent ma prospérité se consument dans les flammes de mes pensées positives.

◆

Je suis reconnaissant pour mes possibilités d'attirer la fortune dans ma vie grâce à mes pensées positives.

◆

Chaque jour, je fais de mon mieux pour insuffler de l'énergie positive dans mon existence et dans celle de mes proches.

◆

J'ai les moyens de soutenir les justes causes qui nécessitent ma contribution.

◆

Plus ma fortune est grande, plus ma générosité peut se répandre dans le monde.

◆

L'abondance infinie de l'univers aspire à se diffuser à travers moi.

◆

Nourrir mon sentiment d'abondance fait partie de mon processus de développement personnel et me relie à la nature illimitée de mon âme.

◆

Je suis généreux et désireux de partager mon abondance avec le monde.

◆

Je ne demande pas à autrui de réaliser mes rêves : j'ai une confiance absolue dans mes ressources intérieures.

◆

Chaque construction, invention ou œuvre d'art est issue de la même matrice : une idée. Ma richesse matérielle se réalise en cet instant au travers de mes pensées positives.

◆

Je fais confiance à mon être profond et à sa capacité à me guider vers les opportunités d'abondance financière.

◆

Je m'efforce d'être généreux avec tout ce que je possède : mon argent, ma créativité, mon amour.

◆

Chaque pensée positive accroît mon sentiment d'abondance.

◆

Je suis impatient de voir les formes que revêtira mon nouveau sentiment d'abondance dans le monde réel.

◆

Ma richesse financière me permet de créer un monde meilleur.

◆

Je mérite d'être un canal pour l'énergie positive de l'univers : elle afflue à travers moi et à travers tout ce que je fais.

◆

Mon esprit est prêt à accueillir le sentiment d'abondance.

◆

J'inonde mon esprit d'idées d'abondance, de générosité et de bienveillance.

◆

La moindre fausse note dans ma vie provient d'une pensée négative. Je me libère de toutes celles qui concernent l'argent et j'ouvre mon esprit aux ressources de l'univers.

◆

Le Créateur me donne en abondance.

◆

En cet instant, je détourne mon esprit des idées de manque pour l'orienter vers des pensées de prospérité.

◆

En changeant ma conscience, je change ma vie.

◆

J'attire la prospérité dans mon existence au moyen de chacune de mes pensées ou actions positives.

◆

Lorsque les autres réussissent, je me sens aussi heureux pour eux que je le serais pour moi-même. Je les félicite de mettre ainsi en œuvre leur sentiment d'abondance et je suis inspiré par leur succès.

◆

C'est mon choix de vivre dans l'abondance.

◆

Ma vie est fermement ancrée dans la prospérité de l'univers.

◆

Tout ce que je vois me rappelle l'énergie et la bonté infinies de l'univers.

◆

L'énergie positive de l'univers est le carburant même qui alimente mon corps et génère toutes les bonnes choses dans ma vie.

◆

Chaque jour, je prends le temps de fermer les yeux, de me concentrer sur l'abondance de l'univers et d'ouvrir mon esprit à la conscience d'une infinie prospérité.

◆

Je suis profondément reconnaissant pour mon sentiment toujours croissant d'amour, de sécurité et de prospérité.

◆

Mon état naturel est la paix, l'harmonie, l'abondance et l'amour.

◆

L'univers donne en permanence.

◆

La prospérité est toujours à ma disposition. Je dois simplement m'ouvrir et l'accueillir.

◆

J'abandonne ma résistance face aux bienfaits de la vie et je m'ouvre pour permettre à l'énergie d'affluer en moi sous la forme d'amour, de travail, de créativité et d'argent.

◆

L'abondance est une énergie comme une autre et j'utilise celle de mes pensées positives pour attirer l'argent dans ma vie.

◆

L'univers me donne sans compter quand je fais ce que j'aime.

◆

J'exprime ma gratitude pour tout ce que je possède et cela m'ouvre encore davantage à l'abondance qui m'entoure.

◆

Je choisis de me concentrer sur les bons côtés de ma vie avec gratitude et j'anticipe joyeusement, le cœur ouvert, toutes les choses positives à venir.

◆

Je nourris toujours la vision la plus haute de ma personne et de ma raison d'être. Il n'existe pas de limite à ce que je peux accomplir.

◆

Je suis riche d'idées, d'intelligence, d'amitié, d'inspiration et de sagesse intérieure.

L'abondance vient à moi aisément.

Chacune de mes pensées positives est une expression de mon âme. Quand je me concentre sur une quelconque forme de bienfait, y compris l'abondance financière, j'exprime la bonté de l'univers.

7

La bienveillance

Plus je me montre gentil et bienveillant, plus j'insuffle d'énergie positive chez moi, au travail et dans le monde.

◆

Je me traite moi-même avec bienveillance, me pardonnant mes erreurs, et me félicitant pour les leçons que j'en ai tirées.

◆

Je salue les inconnus avec affabilité et mon regard croisant le leur est un prolongement naturel de mon cœur aimant.

◆

Mes gestes de bienveillance libèrent l'équivalent émotionnel d'une endorphine qui stimule ma capacité à aimer.

◆

Je choisis de transformer mes pensées critiques et dépréciatrices en bienveillance et en énergie positive.

◆

La gentillesse est une expression puissante de l'amour universel.

◆

Les plus grands chefs spirituels pratiquent la bien-veillance et l'humilité. Mes actes de bonté me rapprochent sans cesse de mon être idéal.

◆

Mes élans spontanés de bienveillance me relient à mon âme et dynamisent ma vie.

◆

Lorsque j'accomplis un geste spontané de gentillesse, j'agis avec mon cœur.

◆

La joie de donner à autrui est l'un des plus beaux cadeaux que je puisse m'offrir.

◆

Quand j'accomplis une bonne action sans rien attendre en retour, je suis vraiment vivant.

◆

Je considère chaque rencontre avec autrui, au travail, dans les magasins, à l'école, dans le train, comme une occasion de me montrer bienveillant.

◆

Je prends chaque jour le temps de me concentrer sur l'une des idées les plus importantes de toutes les cultures : être bienfaisant.

◆

Dans toute situation, je me demande s'il existe une façon d'exprimer ma bonté.

◆

Je suis sans cesse confronté au choix conscient de réagir avec bienveillance et j'opte toujours pour cette solution.

◆

Avec chacun de mes sourires, je diffuse la bonté et l'énergie positive dans le monde.

◆

Je me rappelle que la bienveillance, même au travers de petits gestes, est une force puissante qui évince la négativité.

◆

Les actes quotidiens de gentillesse rendent le monde meilleur.

◆

Les secrets de l'amour se dévoilent à moi quand j'agis avec bonté.

◆

Je fais tout mon possible pour propager l'esprit de bienveillance, dans mon foyer, au travail et partout où je me trouve.

◆

Un petit geste de ma part peut constituer une force puissante qui changera la vie de quelqu'un aujourd'-hui.

◆

Ma bienveillance ne connaît pas de limite, car elle puise sa source dans la fontaine inépuisable de mon âme.

◆

Mes échanges quotidiens avec autrui sont bienveillants et positifs, et cela engendre de merveilleuses amitiés et de formidables opportunités dans ma vie.

◆

Mon cœur, empli d'amour et de générosité, me pousse à agir avec gentillesse chaque jour.

◆

J'éprouve une profonde gratitude envers tous ces petits gestes de bonté qui me sont adressés.

◆

Je m'ouvre à la générosité d'esprit, pour que mon authentique bienveillance puisse faire une différence dans l'existence de quelqu'un aujourd'hui.

◆

Lorsque je réconforte autrui par ma gentillesse, je rends le monde meilleur.

◆

Mon âme est toujours prête à réagir aux circonstances avec bienveillance, et j'ouvre mon cœur pour qu'il entende cette sagesse intérieure.

◆

Je choisis de prouver mon affection au lieu de simplement la dire.

◆

La bienveillance est un élément central de ma vie spirituelle.

◆

Je libère mon esprit des ressentiments, griefs et autres pensées négatives, de sorte que ma générosité et ma gentillesse naturelles puissent rayonner.

◆

Mes actes de bonté émanent de mon attitude aimante envers le monde.

◆

Un geste simple de bienveillance est le cadeau le plus facile à faire et je distribue gracieusement ma gentillesse à tous ceux que je rencontre.

◆

La vision de la bonté mise en action émeut mon cœur.

◆

Aider autrui accroît le sentiment de ma propre valeur. Je suis en permanence utile, car il y a toujours quelqu'un qui a besoin de mon intervention bienveillante.

◆

Les répercussions d'un petit geste de bonté dépassent grandement ce que je peux imaginer.

◆

Je choisis d'être respectueux et attentionné.

◆

J'abandonne mes tendances puériles à l'égoïsme et à l'impatience, pour les remplacer par des attitudes bienveillantes, chaleureuses et humbles.

◆

Les actes de bonté créent un environnement agréable. Ma bienveillance naturelle génère de l'énergie positive autour de moi.

◆

La gentillesse n'est pas une faiblesse, mais une force.

◆

Poser un acte de bienveillance constitue une manière formidable de nourrir mon âme.

◆

Je me libère de ma peur et de ma timidité, et j'ouvre mon cœur aux autres, souriant et saluant les inconnus sans rien attendre en retour.

◆

L'un de mes objectifs dans ma vie aujourd'hui est de communiquer ma bonté à quelqu'un d'autre.

◆

Je prends un instant pour me rappeler en silence d'agir avec bienveillance durant le reste de la journée.

◆

Ma gentillesse émane de mon âme, et mon état naturel d'amour et de bonté s'amplifie au fil de mon développement personnel.

◆

J'aborde les difficultés avec bienveillance, au lieu d'entretenir l'énergie négative de la situation.

◆

À tout moment, je peux fermer les yeux, respirer profondément et puiser dans mon réservoir intérieur de patience, d'humilité et de bonté.

◆

Ma réaction naturelle en toute circonstance est bienveillante.

◆

Je me montre gentil envers moi-même en emplissant mon esprit de pensées positives et stimulantes.

◆

Je diffuse l'énergie de la bonté en relatant des exemples de gentillesse que j'ai entendus ou vus. Les gens sont toujours prêts à accueillir les bonnes nouvelles.

◆

Chaque acte quotidien de gentillesse m'apporte une abondance d'énergie positive universelle.

◆

Parce que je suis un individu unique, je possède ma propre façon de diffuser l'amour et la bienveillance. Le monde est d'autant plus intéressant que je peux manifester ma gentillesse à ma manière.

◆

Mes pensées positives emplissent ma vie d'actes positifs.

◆

Je renonce aux attitudes égoïstes et méchantes qui me coupent de ma bonté naturelle. À compter de cet instant, je suis un canal ouvert par lequel la bienveillance peut se diffuser.

◆

Je suis extrêmement positif dans tout ce que je fais, dis ou pense.

◆

L'univers me met sur le chemin de ceux qui ont besoin de recevoir de la bienveillance.

◆

La bonté émane naturellement de moi.

◆

J'abrite en moi une source inépuisable de bienveillance, de douceur et de compassion.

◆

Je me sens merveilleusement bien quand je traite autrui avec gentillesse.

◆

Chacun de mes gestes de bonté me revient avec une énergie positive décuplée.

◆

Je respecte le droit inné de chacun à être traité de manière bienveillante et compréhensive.

◆

Je me sens parfaitement en accord avec mon sentiment d'amour, ce qui me permet de me montrer généreusement gentil envers autrui.

◆

Je me voue un amour et un respect inconditionnels, et les autres m'aiment et me respectent.

Chaque personne est précieuse et mérite d'être traitée avec bienveillance.

Je prodigue des compliments avec libéralité, générosité et chaleur. J'abandonne l'idée que, pour affirmer ma valeur, je dois déprécier les autres.

Je traite toujours le personnel des transports, des commerces, des banques, des restaurants, des services publics avec gentillesse, respect et bonne humeur.

La bienveillance est un choix.

◆

Mon esprit génère en permanence des pensées positives, qui se traduisent dans mon existence par des gestes de gentillesse.

◆

Je possède une·faculté illimitée de bonté.

◆

Mon attitude détendue, sereine et aimante incite les autres à se montrer gentils et patients.

◆

J'irradie la bonté en toute circonstance.

◆

En tant qu'être humain, je jouis du droit inné d'aborder la vie avec compassion et bienveillance.

◆

Je suis plus efficace et plus constructif quand je parle sincèrement et gentiment, et quand je me libère de mes réactions égocentriques.

◆

Mon âme est emplie d'une bonté qui aspire à s'exprimer.

◆

Lorsque je résiste à ma bienveillance et que j'exprime ma colère et mon impatience, je prends rapidement conscience de mon comportement et je transforme mon attitude négative en bienveillance sincère et désintéressée.

◆

Toutes mes anciennes habitudes ne sont que des souvenirs et je peux les remplacer quand je veux par de nouvelles attitudes de pensée positive et de bienveillance.

◆

Je suis assez grand pour admettre mes erreurs sans être sur la défensive.

◆

Partout où je regarde, je vois des exemples admirables et émouvants de bonté.

◆

Tous les gens sont intrinsèquement gentils et généreux, et je fais mon possible pour manifester cette qualité.

◆

Lorsque j'aborde une situation tendue avec bienveillance, je sens mon cœur s'ouvrir et je sais que je puise dans l'énergie positive de l'univers.

◆

Je ne manque jamais une occasion d'inverser l'énergie d'une situation, en transformant le négatif en positif au moyen de ma bienveillance.

◆

Mon moi profond sait toujours ce qu'il faut faire, et je suis sûr d'agir avec bienveillance et compassion si j'écoute ma voix intérieure.

◆

Ma plus grande force réside dans mon réservoir intérieur de sagesse, et je peux puiser dans cette ressource n'importe où et n'importe quand.

◆

Je suis reconnaissant d'être ouvert à l'énergie d'amour de l'univers.

◆

J'ai confiance dans ce lieu secret et silencieux de mon être, tout autant que dans la puissance invisible de l'amour.

◆

Mon cœur devient plus ouvert et plus aimant chaque jour.

◆

Un petit geste de gentillesse peut redonner l'espoir à autrui en lui rappelant que tout va bien dans l'univers.

◆

Aucun acte bienveillant n'est trop petit.

◆

Mon engagement à être une personne bonne et aimante attire une énergie extrêmement positive dans ma vie.

◆

Aucune journée n'est semblable à une autre quand je m'autorise à exprimer ma gentillesse aux inconnus comme à mes proches.

◆

Lorsque mes actions sont guidées par une bienveillance et une compassion sincères, je participe au flux d'amour qui alimente toute vie. Je puise dans mon réservoir d'amour pour le dispenser autour de moi sous forme de gentillesse.

◆

Le moindre geste de bonté est une expression d'amour et tout le monde mérite d'être aimé.

◆

Je prodigue de l'amour dans mon foyer en anticipant les tâches qui doivent être faites et en les accomplissant sans qu'on me le demande.

◆

Je choisis la bonne humeur et je m'efforce d'inspirer la joie en toute circonstance. La diffusion de cette énergie lumineuse est un acte de bonté.

Le réservoir d'amour que j'abrite en moi est intarissable et je n'épuiserai jamais ma capacité de bonté, de patience et de compassion.

Je me relie à l'âme des autres quand je les aborde avec une authentique bienveillance.

J'honore la gentillesse, et je l'applique à mon propre égard en affrontant calmement les épreuves et en lâchant prise sur les broutilles.

J'écoute toujours ma tendance instinctive et naturelle à agir de manière bienveillante et attentionnée.

◆

La bonté est une habitude que j'entretiens chaque jour par mon amour d'autrui.

8

La compassion

Quand les gens font quelque chose qui m'irrite, j'essaie de me mettre à leur place et de les comprendre.

◆

Lorsque j'adopte une perspective plus large, je gagne en compassion envers autrui.

◆

J'abrite en moi un noyau indestructible de compassion.

◆

Je demeure dans l'instant présent quand je travaille avec les autres, leur offrant toujours une perspective pertinente et compréhensive.

◆

Je prends le temps de comprendre les épreuves spécifiques que traversent mes proches, mes amis ou mes collègues.

◆

J'accueille les gens avec compassion et décèle l'innocence qui réside dans leur âme.

◆

Je regarde au-delà des comportements, pour trouver la joie, la lumière et l'innocence que chaque personne abrite.

◆

Je pratique la compassion en écoutant les autres avec soin et en leur accordant ma totale attention.

◆

Chaque instant passé à témoigner de la compassion est un moment sacré.

◆

Ma compassion me permet de transcender les soucis immédiats et de voir au-delà des paroles et des gestes d'autrui.

◆

Ma compassion profonde et sincère est une extension naturelle de mon âme aimante. Quand je l'exprime, je révèle ma bonté naturelle.

◆

Je vois l'innocence chez ceux avec qui je ne suis pas d'accord et je conserve un esprit ouvert.

◆

La compassion me relie à ma conscience supérieure.

◆

Quand je cesse de me concentrer sur les contrariétés mineures de la journée, j'ouvre mon cœur aux autres et je deviens plus compréhensif.

◆

Je m'engage à manifester ma compassion chaque jour, même si cela se limite à sourire à un inconnu.

◆

Avec la pratique, ma compassion se renforce et ma vie s'enrichit.

◆

La compassion m'aide à devenir une personne plus paisible et plus sereine.

◆

Au sein de mon couple, nous cultivons une compassion mutuelle en prenant le temps de rester assis ensemble, en silence.

◆

Je détourne mon attention de mes petits problèmes et je prends en considération la situation d'autrui.

◆

Je reconnais que la douleur des autres est aussi réelle que la mienne.

◆

Ouvrir mon cœur avec compassion amplifie mon sentiment de gratitude.

◆

Je suis impressionné par l'expérience des gens compatissants et je puise de l'inspiration dans les difficultés qu'ils ont traversées pour atteindre une telle maîtrise de cette qualité.

◆

Chaque jour, je cultive la compassion au travers de mes intentions et de mes actes. Je concentre mon esprit sur les besoins d'autrui et j'agis en écoutant mon cœur.

◆

Ma compassion devient en permanence plus grande, plus profonde et plus variée dans son expression.

◆

Réfléchir aux besoins d'autrui m'aide à alléger mon propre fardeau.

◆

Avant d'entamer la journée, je demande à ma conscience supérieure d'emplir mon cœur de compassion, afin de me mettre au service d'autrui, même de la manière la plus simple.

◆

En comprenant les autres, je me comprends mieux moi-même.

◆

Face à des circonstances stressantes, je réagis avec compassion et j'ouvre mon esprit afin de voir toutes les facettes de la situation et de comprendre tous les points de vue.

◆

Ma compassion est une expression sincère de l'amour de mon cœur.

◆

J'imite l'exemple des grands maîtres de la compassion et je m'efforce chaque jour d'agir avec la même bonté.

◆

Je choisis de traiter autrui en puisant dans la source profonde de compassion qu'est mon âme.

◆

À tout moment, quand mes réactions semblent guidées par l'égoïsme et la mesquinerie, je suis libre de demander à ma conscience supérieure de m'aider à trouver de la compassion.

J'entretiens, au centre de mon être, une source de paix et de calme d'où jaillit une compassion naturelle.

Tout ce que je fais est une expression de l'amour du Créateur. Je traite autrui comme je voudrais être traité, et ma compassion se manifeste librement et sans effort.

La compassion que je témoigne autour de moi permet de mesurer mon intégrité et ma maturité spirituelles.

◆

La compassion est une pratique qui se développe en profondeur et en intensité au fil du temps. Je consacre quelques moments par jour à me relier à mon âme et à cultiver ma bonté, ma patience, mon humilité et ma compassion.

◆

Je suis toujours prêt à agir avec compassion car, comme le disait mère Teresa : « Nous ne pouvons pas accomplir de grandes choses, juste de petites choses avec un grand amour. »

◆

Ma vie est le produit de mon esprit. Quand je me concentre sur la compassion, j'aborde les autres naturellement avec amour et compréhension.

◆

Je ne vis pas isolé. J'ai donc le choix dans la manière dont je me relie aux autres et je m'engage à témoigner de la compassion en toute circonstance.

◆

Lorsque j'agis avec sincérité, je manifeste naturellement ma compassion.

◆

La compassion, comme l'amour, constitue une récompense en soi.

◆

À travers la compassion, j'atteins mon plus haut degré d'épanouissement.

◆

La compassion est le canal par lequel l'amour humain et divin pénètre l'existence des gens.

◆

Je suis capable d'une immense compassion et je m'engage à exprimer cette qualité au maximum de son potentiel.

◆

J'insuffle une énergie plus noble au monde à travers mes actes de compassion.

◆

Mon âme m'emplit d'une empathie naturelle qui m'aide à entretenir des relations aimantes avec autrui.

◆

En cultivant la compassion, je puise plus profondément dans mes ressources intérieures et je me relie plus intensément à mon âme.

◆

Je pratique la compassion en souhaitant le meilleur à chacun et en me libérant de mes envies, jalousies et ressentiments.

◆

La compassion est un cadeau qui me permet de diffuser plus libéralement l'énergie d'amour universelle dans l'existence de mon entourage.

◆

Je me traite moi-même avec compassion en prenant du temps pour nourrir mon âme et chasser la négativité de mon esprit.

◆

Je souhaite sincèrement devenir une personne plus compréhensive.

◆

Je possède tout ce dont j'ai besoin pour éveiller mon infinie compassion.

◆

La compassion est intrinsèque à ma nature. Mes anciennes tendances à critiquer autrui comme moi-même laissent à présent place à l'amour et au pardon.

◆

L'esprit silencieux en moi est limpide comme de l'eau de source. Il me permet de me relier à mon âme et d'agir avec compassion.

Je m'efforce toujours de comprendre les autres et de me mettre à leur place, au lieu de juger et de critiquer aveuglément ce qui échappe à mon entendement.

Ce jour est une occasion unique de traiter autrui avec compassion.

Je vaux bien plus que mon esprit conscient et pensant, et j'aborde les gens en écoutant la compassion de mon cœur.

Je suis reconnaissant de tous les gestes de compassion au travers desquels les autres ont modifié, réparé ou amélioré mon existence.

◆

Regarder ceux que j'aime au travers d'un filtre de compassion me permet de voir plus profondément en eux.

◆

Je considère mon passé avec compassion et je reconnais que chaque expérience m'a conduit à ce moment présent, à travers de nouvelles compréhensions et prises de conscience. Je me libère de tout regret.

◆

Je suis en permanence conscient de la compassion que les autres éprouvent à mon égard et je suis reconnaissant de l'amour qui nous unit tous.

◆

La compassion me plonge plus profondément dans la vie et me dote d'un éventail plus vaste de sentiments.

◆

J'aspire à identifier tous mes sentiments, afin de développer ma compassion.

◆

Mon cœur ouvert et aimant ne connaît pas de chaînes.

◆

Si je ne peux pas aider une personne financièrement ou physiquement, je la recueille avec amour dans mon cœur.

◆

J'appartiens à la grande famille de l'humanité, et je dispense mon amour à tout le monde.

◆

Ma compassion provient d'un désir sincère d'aimer.

◆

Les petits gestes attentionnés que je constate autour de moi m'inspirent de la compassion.

◆

L'un de mes buts les plus essentiels consiste à cultiver ma compassion et à exprimer mon authentique souci des autres.

◆

Mon cœur est empli de respect, de patience, de gentillesse, de générosité et de compassion.

9
Le vrai progrès

Quand je pense avoir accompli un acte bienveillant au cours de la journée, aussi petit soit-il, je sais que je progresse dans la vie.

◆

Le pouvoir de changer quelque chose dans mon existence réside dans mon esprit. Je choisis d'abandonner mes attitudes défaitistes et de les remplacer par des pensées positives.

◆

À chaque instant, je deviens plus aimant, plus attentionné, plus généreux et plus positif dans mes pensées.

◆

Je m'engage à faire taire mon esprit et à me recueillir en silence pour me rapprocher de mon âme et de mon potentiel.

◆

Rien ne m'est impossible si j'y suis décidé.

◆

L'avenir attend de réaliser mes rêves et de concrétiser les progrès dont je pose aujourd'hui les bases par mes pensées positives.

◆

Je mesure ma réussite en fonction de l'amour que je donne et non des choses que j'acquiers.

Je m'efforce de me montrer gentil et bienveillant en toute circonstance, et je deviens plus aimant à chaque instant.

Je ne vois plus les choses au travers d'un filtre de colère. Je lâche prise sur mes anciens ressentiments et j'adopte un état d'esprit plus lumineux.

Avec chaque pensée positive, j'améliore la qualité de ma vie.

Ce que je commence à pratiquer aujourd'hui deviendra ma seconde nature. Les rêves que je nourris se réalisent au fil du temps.

◆

Quand je suis surchargé, je pense à agir étape par étape et à savourer la satisfaction de chaque petite tâche accomplie.

◆

Toute avancée dans mon existence me procure une totale confiance en moi, et je prends le temps d'apprécier la distance que j'ai déjà parcourue.

◆

Chaque jour, j'améliore l'ambiance affective qui règne dans mon foyer ou au travail.

◆

Je sais que j'avance, parce que je ne me noie pas dans un verre d'eau, et que je peux affronter l'important avec grâce et dignité.

◆

J'honore chacun de mes petits progrès inspirés par l'autodiscipline et l'intégrité.

◆

Je développe ma perspective et ma compréhension des autres chaque jour, en prenant le temps de voir le bien chez chacun.

◆

Mon entourage reconnaît ma profonde sérénité et se sent mieux à mon contact de jour en jour.

◆

Une sincérité chaleureuse illumine mon être et me rapproche de ceux que j'aime. Chaque matin, je m'engage à aborder toute situation le cœur ouvert et à me montrer plus aimant que la veille.

◆

J'affronte les problèmes plus aisément qu'il y a un mois, un an ou une décennie, car je me suis engagé à devenir la meilleure personne possible.

◆

Je choisis de ne privilégier que la paix, l'harmonie et la bienveillance au sein de ma famille.

◆

Je concentre mon esprit sur le positif et je suis enthousiasmé par l'avenir.

◆

Le fait de nourrir mon âme m'apporte des cadeaux qui débordent de mon existence pour inonder celle des autres.

◆

Chaque jour, je me sens plus apte à me mettre à la place d'autrui et à comprendre les points de vue différents des miens.

◆

Mon potentiel n'est limité que par mes vues restrictives. Chaque jour, des pensées positives viennent remplacer les idées négatives et métamorphoser ma vie.

◆

Mes pensées positives peuvent concrétiser mes rêves dans le monde réel.

◆

Je transvase mon énergie de ma vie extérieure vers ma connaissance intérieure, et je récolte les fruits d'une existence inspirée.

◆

Je prends le temps de saluer ce lieu calme et silencieux en moi, d'où je tire force, compassion et sagesse.

◆

Chaque jour, j'améliore l'équilibre entre mon esprit et mon âme. Tous les aspects de ma vie bénéficient de cette harmonie.

◆

Mon existence reflète les pensées positives issues de mon cœur.

◆

À la fin de la journée, je prends le temps de réfléchir à l'impact de mes actions sur autrui, aux services que j'ai rendus, à l'amour que j'ai dispensé. C'est ainsi que je mesure mes vrais progrès au fil du temps.

◆

Je suis reconnaissant pour chaque pas de mon parcours m'ayant conduit à la sagesse et à la compréhension plus profondes dont je jouis aujourd'hui.

◆

Je suis enthousiaste quant à la prochaine étape de mon développement personnel et sûr que j'avance à chaque instant.

◆

Les pensées positives que je produis maintenant créent un avenir positif pour moi et ceux que j'aime.

◆

Aucun élément de mon passé ne peut entraver mon avenir, parce que mes nouvelles pensées positives sont toutes-puissantes.

◆

Je cultive un grand enthousiasme envers la vie, et la perspective de chaque nouveau jour m'enchante.

◆

Je dispose d'une énergie plus que suffisante pour œuvrer à la réalisation de mes rêves et pour aider les autres.

◆

Diffuser de l'amour constitue l'une des principales priorités de ma vie.

◆

La réussite matérielle n'est qu'une répercussion automatique de mes pensées positives et de mon cœur ouvert.

◆

Je lâche prise sur tous mes sentiments d'échec, sachant que mon bonheur à venir est entre mes mains.

◆

Les personnes affectueuses, enthousiastes et stimulantes qui m'entourent témoignent des priorités que je me suis fixées.

◆

À mesure que je me relie plus profondément à mon âme, je vois davantage la beauté du monde.

◆

En ouvrant mon cœur et en acceptant que le changement fasse partie de la vie, je laisse la place à de nouveaux centres d'intérêt, passe-temps et choix professionnels.

◆

Ma conscience supérieure connaît mon avenir et me livre des indices me signifiant que je suis sur la bonne voie.

◆

Je dépense l'énergie de mon esprit avec discernement, en m'efforçant de produire des pensées positives.

◆

Mon esprit recèle le verrou et la clé de ma santé mentale et de mon bien-être.

◆

Je me voue à l'exploration de mon monde intérieur et à l'aventure la plus prodigieuse de l'existence : la découverte de qui je suis vraiment.

◆

Hier est une pensée révolue. Aujourd'hui j'ai l'occasion de recommencer de zéro et de générer des miracles.

◆

Je sais que je suis sur terre pour un court moment et je m'efforce de profiter de chaque jour au maximum.

◆

Mon chemin me mène à un bonheur toujours plus grand et quelque chose de merveilleux m'attend au coin de la rue.

◆

Chaque jour, je trouve un moyen d'apporter une contribution, aussi minime soit-elle, à la bonté du monde.

◆

Je suis guidé par ma conscience supérieure et tout ce que je fais influence l'avenir.

◆

Mon énergie positive m'aide à me détourner de mon passé, et à aborder l'avenir avec espoir et prévoyance.

◆

Chaque jour, je me sens de plus en plus à l'aise.

◆

Les tensions que j'ai accumulées au fil de l'existence disparaissent avec chacune de mes respirations.

◆

Je ne force plus les choses à aller dans mon sens. Je permets plutôt à mon savoir intérieur de me diriger. Mon ancienne habitude de vouloir tout contrôler appartient désormais au passé.

◆

Tous ceux que je côtoie sont ressourcés par mon énergie positive.

◆

Mes petits progrès – affronter les contrariétés avec grâce, ne plus me noyer dans un verre d'eau, prendre du recul, traiter autrui avec bienveillance – sont en réalité des transformations miraculeuses.

◆

Je ne suis pas l'individu que j'étais hier, mais une personne plus éclairée.

◆

Mon esprit est empli de la certitude que tout se passe selon le dessein de la vie et que ma sagesse intérieure guide mes pas.

◆

Mes choix se fondent toujours sur l'amour, le souci d'autrui, la générosité et la compassion.

◆

J'écoute ma voix intérieure, et je choisis toujours le moment juste pour opérer un changement dans mes pensées et dans mes actes.

◆

L'un des meilleurs indicateurs de mes progrès est ma capacité à me pardonner.

◆

Dans les moments stressants, j'abandonne l'habitude de me plaindre. Ma nouvelle façon de penser me permet de rire de moi quand je trébuche, de m'épousseter un peu et de reprendre ma route avec une énergie renouvelée.

◆

Je suis capable de bien davantage que je ne peux l'imaginer. Je m'autorise à voir grand et à vivre au rythme d'un cœur débordant d'amour.

◆

Je m'efforce de donner un exemple positif pour aider les autres à se concentrer sur les meilleurs aspects d'eux-mêmes.

◆

De même que la technologie des romans de science-fiction est aujourd'hui devenue réalité, je produis des pensées positives qui porteront leurs fruits en temps voulu.

◆

Mes progrès pour devenir une personne plus aimante constituent un cadeau que je fais au monde.

◆

Je considère ma conscience supérieure comme le commandant de mon vaisseau dans la traversée de l'existence. Je suis sûr que de grands desseins sont en voie de réalisation.

◆

Chaque fois que j'aborde les conflits avec moins d'anxiété, je me rends compte de mes immenses progrès personnels.

◆

Il n'existe pas d'obstacle que je ne puisse surmonter au moyen de mes ressources profondes, et je prends le temps de m'arrêter et de réfléchir aux résultats exceptionnels auxquels je suis parvenu grâce à mes pensées positives et à ma sagesse intérieure.

◆

J'inonde tous les domaines de ma vie – travail, amour, famille, loisirs, études – d'une abondance d'énergie positive.

◆

Je mesure mes progrès à ma faculté de rester calme quand on me fait attendre, quand je perds un objet, quand on me ment, quand je commets une erreur. Lorsqu'un tel désagrément se produit, je me rappelle mes réactions passées dans des circonstances identiques et je me félicite de mes progrès.

◆

Je suis reconnaissant des leçons qui m'ont aidé à plonger dans mes ressources intérieures pour y trouver ma vraie force et ma paix de l'esprit.

◆

Je suis parfaitement en accord avec ma sagesse intérieure et je sais toujours ce qu'il faut faire.

◆

Je chéris ma connexion à mon âme et je consacre du temps à rester seul, en silence et en paix. Je mesure mon progrès personnel notamment au travers de ma manière de nourrir mon âme.

◆

Je sollicite mes pensées positives et je renonce à remettre au lendemain.

◆

Je suis responsable de mes progrès, et j'aborde mon chemin avec autodiscipline et enthousiasme.

◆

Je garde toujours l'esprit ouvert et les autres s'adressent à moi pour trouver des solutions inventives à leurs problèmes.

◆

J'apprécie les richesses de l'existence qui sont à ma disposition en cet instant.

◆

Chaque jour, je m'emplis d'une énergie positive croissante et les gens sont attirés par mon rayonnement unique.

◆

Je reçois de ma sagesse intérieure tout le soutien et l'inspiration dont j'ai besoin, et cette voix me prodigue de constants encouragements au fil de mon parcours.

◆

Chacune de mes pensées positives constitue un investissement pour un avenir meilleur.

◆

Avec chaque pensée positive, je sens mon fardeau s'alléger.

◆

Je lâche prise sur mes inquiétudes et mes craintes financières pour transformer ma relation à l'abondance. À compter de ce jour, ma situation matérielle est prospère et florissante.

◆

L'amour et la bienveillance que j'exprime me reviennent toujours, et mon avenir résonne des échos de mes pensées positives.

◆

Mes progrès se mesurent à ma capacité à oublier mon ego et mes propres pensées quand quelqu'un me parle. Une écoute attentionnée constitue une puissante forme de compassion.

◆

Je nourris une confiance si profonde envers ma sagesse intérieure que j'amorce chaque journée en m'attendant à un miracle. Le prodige le plus inouï de mon existence est mon aptitude à donner et à recevoir de l'amour.

◆

Je me donne le temps de faire ce que j'aime, parce que prendre soin de mon âme est aussi important que toute autre forme de travail.

◆

Je possède la vitalité et l'énergie nécessaires pour vivre chaque journée au maximum.

◆

La décision de lâcher prise face à mes inquiétudes et à mes craintes me permet de passer de bonnes nuits de sommeil, et de me réveiller frais et dispos le matin. Je suis en permanence libre de toute anxiété.

◆

Je suis toujours connecté à ma sagesse intérieure, et je demeure calme et serein dans les situations stressantes. Ainsi, je donne aux autres un exemple positif en cas de dispute à la maison ou au travail.

◆

Aucun élément de mon passé n'a le pouvoir d'affecter mon existence d'aujourd'hui. Cet instant est issu de mes pensées positives et il ne peut m'arriver que de bonnes choses.

◆

L'énergie qui m'emplit fait de moi un partenaire merveilleux en amitié, en amour et au travail.

◆

Mon énergie positive vitale attire à moi tous les bienfaits.

◆

Je termine chaque journée en me félicitant des progrès que j'ai accomplis dans mon processus pour devenir un être plus aimant.

◆

Je suis reconnaissant envers tous ceux qui ont insufflé de l'énergie positive à mon existence et qui m'ont aidé à avancer plus rapidement sur mon chemin.

◆

Même le plus petit geste de bonté constitue un pas crucial sur ma route vers la paix absolue.

◆

Le pouvoir de mes pensées positives ne connaît pas de limite et je suis ouvert à toutes les bonnes choses. Mon avenir est une promesse d'aventure, d'émerveillement, d'harmonie et d'innombrables bénédictions.

10

L'instant présent

Je suis toujours concentré sur l'instant présent, ce qui me permet de travailler, de jouer et de vivre avec une passion sereine plutôt que dans une frénésie fébrile.

◆

Mes idées et ma créativité sont florissantes quand je reste clairement ancré dans l'ici et maintenant.

◆

Seul l'instant présent existe en ce moment. La qualité que je lui donne définit celle que je donne à ma vie.

Aucune préoccupation ne compte davantage que mon bonheur et ma paix intérieure.

Je ne dois pas considérer mon existence comme une liste de corvées, mais comme un cadeau.

Je ne vois pas les problèmes comme des obstacles à éviter, mais comme des éléments inévitables de la vie.

J'aborde tout ce que je fais avec une attention centrée sur le présent, et j'en tire beaucoup de joie et de réussite.

En présence des autres, je reste dans l'ici et maintenant, et je m'intéresse vraiment à eux.

La vie est exactement comme elle devrait être en cet instant, et j'accepte cette réalité.

La vie est une succession de sentiments surgissant à chaque instant et, en ce moment, j'ai l'occasion de transformer mon existence au travers d'une nouvelle vision positive.

Je ne reste pas rivé à mes attitudes ou expériences passées, car ces moments sont à jamais révolus.

◆

En cet instant, j'exprime mes désirs avec intensité, avec l'assurance que l'univers transforme mes pensées positives en réalité.

◆

Je ferme les yeux et ressens la joie d'être en vie ici et maintenant.

◆

Je suis calme et centré sur le présent, et cela contribue à diffuser la paix autour de moi.

◆

Quand je consacre ma totale et bienveillante attention à ce que je fais, je vis pleinement l'instant présent, et le temps semble s'arrêter.

◆

Je demeure concentré sur l'ici et maintenant, et tout se réalise à un rythme sain et tranquille.

◆

Mon esprit est toujours focalisé sur l'instant présent, et j'accomplis calmement mes tâches l'une après l'autre, à mesure qu'elles se présentent.

◆

L'intense énergie que je reçois en demeurant pleinement dans l'ici et maintenant m'encourage à me recentrer ainsi tout au long de la journée.

◆

Ma pratique de l'instant présent m'ouvre un nouveau monde de possibilités sans cesse en expansion.

◆

Je ferme les yeux, je me concentre sur l'ici et maintenant, et je savoure cet instant.

◆

Mes émotions traversent ma vie d'instant en instant et j'ai toujours le choix de transformer la colère, le ressentiment, l'envie et la critique en sentiments positifs, comme le pardon, l'acceptation et la compassion.

◆

Chaque instant est un nouveau commencement.

◆

Il n'est jamais trop tard pour changer ma façon de penser et ma vie. Tout est possible en cet instant.

◆

J'insuffle de la sérénité à mon existence en me concentrant sur le présent, et cela allège les tensions en moi et autour de moi.

◆

J'accepte ce qui se produit réellement en cet instant, et cela constitue une profonde forme de sagesse.

◆

Je m'engage dans l'ici et maintenant, plutôt que d'observer et de tenir des comptes.

◆

Je vis ma vie non pas comme une répétition générale, mais comme un événement se déroulant pleinement ici et maintenant.

Je fixe mon esprit sur les sensations et les détails de cet instant, balayant les autres distractions et consacrant toute mon énergie à ce que je suis en train de faire.

Durant les fêtes, anniversaires et autres célébrations traditionnelles, je demeure centré sur l'instant présent et je ne compare pas ce jour à un quelconque événement passé. J'apprécie et savoure le moment pour ce qu'il est et non pour ce qu'il pourrait ou devrait être.

Je ne me dis pas : « Je serai heureux quand… »
J'accepte mon bonheur et ma plénitude ici et maintenant.

◆

Je pratique le don de la présence en restant dans l'ici et maintenant avec tranquillité et bienveillance lorsque je me trouve en compagnie d'un inconnu, d'un proche ou d'un collègue.

◆

L'un des cadeaux les plus magiques que je puisse offrir à autrui consiste à être pleinement présent et à l'écouter avec toute mon attention.

◆

J'aime les gens en tant qu'individus et je suis toujours présent quand je communique avec eux.

◆

Je me libère de ces pensées obsessionnelles qui tournent en rond dans mon esprit et je vis seulement l'instant présent.

◆

J'essaie d'aborder avec un esprit ouvert tout ce qui survient sur mon chemin, car je suis centré sur l'ici et maintenant.

◆

La magie du changement et de la transformation afflue dans mon existence quand je me concentre sur l'instant présent, abandonnant toute autre distraction.

◆

Chaque instant est une invitation à faire taire mon esprit et à ressentir qui je suis vraiment.

◆

Je m'arrête chaque jour pour ressentir la réalité immédiate et intime de l'ici et maintenant.

◆

Cet instant constitue l'essence parfaite de mon existence. Je choisis de vivre la réalité présente telle qu'elle est.

◆

La qualité de mon attention en ce moment est plus importante que mon objectif, ma destination ou mon voyage.

◆

Je vis totalement dans l'ici et maintenant, et j'abandonne mon habitude de rechercher sans cesse des réponses à l'extérieur de moi-même.

◆

Mes actes sont fondés sur des impulsions claires et spontanées, non sur des craintes issues de mes expériences passées.

◆

Je laisse les choses se produire en leur temps, plutôt que de les forcer à se réaliser en m'inquiétant et en nourrissant des pensées lugubres.

◆

C'est le moment parfait pour lever le pied et être conscient de ce qui se passe ici et maintenant.

◆

La vie est une suite d'instants et je suis pleinement présent à chacun d'eux.

◆

Ma concentration sur le présent engendre chez moi une immense vitalité et une grande clarté.

◆

Rester dans l'instant présent me permet d'entendre la voix calme et secrète qui détient toutes mes réponses.

◆

Je me discipline et je me concentre sur le présent, renonçant à mon ancienne habitude de ressasser le passé et d'appréhender l'avenir.

◆

Je vis chaque instant de ma vie avec la conscience de sa valeur et de son dessein.

◆

La toile d'araignée faite de regrets, de frustrations, de tous ces « j'aurais pu », dans laquelle je me débats, s'évanouit en cet instant.

◆

Une prodigieuse vitalité envahit maintenant mon esprit.

◆

Quand je me sens surchargé, je m'arrête pour me rappeler que cet instant est éphémère, et que je peux choisir de le vivre tranquillement et sereinement.

◆

En vivant chaque moment dans le présent, je me vois accorder une deuxième, une troisième... une infinité de chances d'atteindre le meilleur de mon potentiel.

◆

Mes sens sont exacerbés quand je me concentre sur l'ici et maintenant.

◆

En cet instant, je suis une force puissante, positive et merveilleuse dans l'univers.

◆

Rien ne peut m'empêcher de libérer des pensées positives et enthousiastes maintenant.

◆

Le fil de mon existence est constitué d'innombrables instants que je choisis de vivre en pleine conscience. Je savoure la vie au maximum, au lieu de chercher à améliorer un ou deux moments aux dépens de tous les autres.

◆

Je consacre toujours ma totale attention à mon travail, à mes distractions et à ceux que j'aime.

◆

Tout est possible en cet instant parfait.

◆

Je suis ouvert et réceptif aux idées créatives de l'univers.

◆

Mon esprit ne constitue plus un marécage de regrets et d'inquiétudes, mais un espace ouvert, lumineux et verdoyant où fleurissent les pensées positives.

◆

Le reste de ma vie consiste uniquement en une suite d'instants et repose sur la qualité du moment présent.

◆

Je suis reconnaissant pour cette autodiscipline qui me permet de m'arrêter pour savourer l'instant présent. Chaque fois que j'atteins cet état de paix, j'améliore ma faculté de rester dans l'ici et maintenant.

◆

Ma capacité à demeurer dans le présent m'emplit d'un flux constant d'énergie positive.

◆

La concentration sur ce que je fais m'aide à glisser dans l'intemporalité de la créativité pure.

◆

Mon esprit est limpide et ouvert à toutes les bonnes choses.

◆

La concentration sur le présent me permet d'explorer la mystérieuse réalité sous-jacente à mes pensées et à mes distractions quotidiennes.

◆

L'un des plus grands cadeaux de l'univers est ma conscience claire de l'instant.

◆

Je suis capable de vivre la tranquillité parfaite que j'observe dans la nature.

◆

Mon esprit est prêt et aspire à se libérer de toute pensée.

◆

En cet instant, je chasse de mon esprit la colère, la tristesse, l'anxiété, l'envie, la frustration, le cynisme, l'inquiétude et les regrets.

◆

Je choisis de m'arrêter quelques moments chaque jour pour me concentrer sur l'ici et maintenant. Cette pratique se répercutera sur le reste de ma vie au travers de résultats très positifs.

◆

Mon attention se concentre sur le présent et j'ai une conscience aiguë de chaque son, odeur, couleur qui m'entoure.

◆

Il n'y a pas de limite aux aventures et aux découvertes qui m'attendent au plus profond de moi.

◆

J'accepte pleinement que cet instant soit la seule réalité existante.

◆

Je refuse de me soumettre à l'habitude de rejouer sans cesse de vieux disques dans ma tête.

◆

Je choisis de chasser toute pensée, de me détendre, de respirer et, simplement, d'être.

◆

Tel que je suis, je me sens aimable et digne de tous les bienfaits.

Je prends des décisions conscientes, car je suis centré sur l'ici et maintenant.

J'absorbe la sérénité et la puissance de cet instant dans toute sa gloire.

J'aborde le changement par étapes et je suis toujours prêt à suivre le chemin parfait dans chaque situation.

Ma tranquillité d'esprit est une source illimitée d'idées et de créativité.

◆

La pratique de l'ici et maintenant me permet de mieux savourer et d'apprécier tout ce que je fais ou rencontre sur ma route.

◆

Je m'ouvre au territoire vaste et inconnu de l'instant présent.

◆

Je ne dramatise pas les broutilles, car mon esprit est centré sur le présent. Alors, je vois chaque chose dans une juste perspective.

◆

La vie est rarement comme je voudrais qu'elle soit, mais elle est toujours précisément ce qu'elle est. J'accepte ce fait avec ouverture et grâce.

◆

Mon esprit brûle de se lancer dans une nouvelle aventure et de se concentrer sur le miracle de l'instant présent.

◆

La qualité de ma vie s'améliore d'abord de l'intérieur, puis à l'extérieur, quand je pratique l'ici et maintenant.

◆

Chaque jour, je mesure plus clairement à quel point il est inutile et irrationnel de ressasser le passé et d'appréhender l'avenir.

◆

M'engager à une discipline comme la concentration sur le présent et l'abandon de l'inquiétude renforce mon assurance et mon estime de moi.

◆

Mon esprit hyperactif mérite une pause.

◆

Libérer mon esprit est aussi nécessaire que de l'utiliser pour travailler et assumer mes responsabilités.

◆

Ma pratique de l'ici et maintenant m'aide à considérer les autres comme des êtres purs et innocents, vivant eux aussi une succession d'ins-tants.

◆

Chasser de mon esprit les pensées négatives allège mes tensions et me rend plus apte à affronter les petits et les grands conflits.

◆

Je comprends que tout le monde, moi inclus, est capable d'une transformation radicale.

◆

Chaque instant renferme une chance de prendre un nouveau départ.

◆

Je communique de manière attentionnée, ce qui me rapproche davantage de la pratique de l'ici et maintenant que d'écouter autrui en pensant à moi-même. Cette forme de présence témoigne de mon profond respect envers les gens.

◆

Chaque matin, je renouvelle mon engagement de me concentrer sur le présent. Avec la pratique, mon esprit se clarifie, et il me devient de plus en plus facile d'atteindre cette sensation d'être, tout simplement.

◆

Tous les jours, je me sens reconnaissant d'être en vie, et je m'arrête pour apprécier et contempler l'instant présent.

◆

Rien n'est plus précieux que l'amour emplissant mon cœur en cet instant.

◆

À mesure que ma pratique et mon développement personnel se renforcent, il me devient de plus en plus difficile de me noyer dans un verre d'eau.

11

Mes propres affirmations

Table des matières

Composition : Compo-Méca s.a.r.l.
64990 Mouguerre

Imprimé en France
ISBN : 2-7499-0141-3
Dépôt légal : septembre 2004
LAF : 383

Achevé d'imprimer le 19 août 2004
sur les presses de l'imprimerie «La Source d'Or»
63200 Marsat
Imprimeur n° 12181